KB207472

나의 해방일지

1

일러두기

- 이 책은 박해영 작가의 드라마 대본 집필 형식을 존중하여 원본에 따라 편집하였습니다.
- 드라마 대사는 구어체인 점을 감안하여, 어감을 살리기 위해 한글 맞춤법과 다른 부분이라 해도 그 표현을 살렸습니다.
- 쉼표, 마침표 등과 같은 구두점과 대사의 행갈이 방식 또한 작가의 의도를 따랐습니다.

My
Liberation
Notes

나의 해방일지 1

박해영
대본집

용어정리

INS.(insert)	화면과 화면 사이에 끼워 넣는 삽입 화면.
#(scene)	씬(장면). 같은 장소, 같은 시간 내에서 이루어지는 일련의 행동이나 대사가 한 씬을 구성한다.
E(effect)	효과음. 화면 밖에서 들려오는 소리나 대사.
F(filter)	전화기 너머로 들리는 목소리나 속엣말.
OL(overlap)	오버랩. 앞 화면에 뒷 화면이 겹쳐지며 장면이 바뀌는 기법. 또는 한 사람의 대사가 끝나기 전에 다른 사람의 대사가 맞물리는 것.
컷 튀고(cut to)	하나의 장면에서 다음 장면으로 넘어감.
몽타주(montage)	여러 장면을 하나로 배합해서 일시적으로 보여 주는 편집 기술.

차례

기획의도

살면서 마음이 정말로 편하고 좋았던 적이 얼마나 있었나? 항상 무언가 해야 한다는 생각에, 어떻게든 하루를 알차게 살아내야 한다는 강박에 시달리면서도, 몸은 움직여주지 않고, 상황은 뜻대로 돌아가지 않고… 지리한 나날들의 반복. 딱히 큰 문제가 있는 것도 아닌데 왜 행복하지 않을까? 그렇다고 문제가 없다는 말도 못 한다. 문제가 있는 것도 아니고, 문제가 없는 것도 아니고.

정확하게 말할 수 있는 한 가지는, 행복하지 않다는 것.

해방. 해갈. 희열.

그런 걸 느껴본 적이 있던가? '아, 좋다. 이게 인생이지'라고 진심으로 말했던 적이 있던가? 긴 인생을 살면서 그런 감정을 한 번도 느껴보지 못했다는 게 이상하지 않은가? 이렇게 지지부진하게 살다 가는 게 인생일 리는 없지 않은가? 어떻게 해야 그런 감정을 느낄 수 있을까?

혹시 아무것도 계획하지 말고 그냥 흘러가 보면 어떨까?
혹시 아무나 사랑해 보면 어떨까?
혹시 관계에서 한 번도 채워진 적이 없기에 이렇게 무기력한 것 아닐까?

시골과 다를 바 없는 경기도 끝자락에 살고 있는, 평범에서도 조금 뒤처져 있는 삼 남매는 어느 날 답답함의 한계에 다다라 길을 찾아 나서기로 한다.

각자의 삶에서 해방하기로!

등장인물

염기정

삼 남매 중 첫째, 리서치회사 팀장

나이 들면 세련되고 발칙하게 「섹스 앤 더 시티」를 찍으며 살 줄 알았는데, 매일 길바닥에 서너 시간씩 버려가면서 서울로 출퇴근하느라고 서울 것들보다 빠르게 늙어간다. 밤이면 발바닥은 찢어질 것 같고, 어깨엔 누가 올라타 앉은 것 같고. 지하철 차창에 비친 얼굴을 보면 저 여자는 누군가 싶고.

나, 이렇게 저무는 건가. 그 전에. 마지막으로. 아무나. 사랑해 보겠습니다. 아무나, 한 번만, 뜨겁게, 사랑해 보겠습니다.

그동안 인생에 오점을 남기지 않기 위해, 처음부터 마지막 종착지가 될 남자를 찾느라, 간 보고 짱 보고… 그래서 지나온 인생은 아무것도 없이 그저 지겨운 시간들뿐이었습니다.

이제, 막판이니, 아무나, 정말 아무나, 사랑해 보겠습니다. 들이대 보겠습니다.

염창희

삼 남매 중 둘째, 편의점 본사 대리

내가 무슨 말만 하면 철이 안 들었대. 왜? 할 말이 없거든. 왜 할 말이 없게? 내가 맞는 말만 하거든. 드럽게 논리적이고 이성적인 척 상황 분석하고 말하는 인간들, 돌아버려. 인간의 감정과 이성에 논리가 있는 줄 알아? 없어. 자기가 좋아하고 싫어하고가 논리야. 애정이 논리야. 이 세상에 애정법 외에는 아무 법칙도 없어.

이렇게 단박에 핵을 뚫고 들어가니까 말문이 막히는 거야. 말문이 막히니까 철이 안 들었다고 하고. 철이 안 들었다는 말은 인정할 수 없다. 속없어 보인다는 말은 인정. 근데 결정적으로 내가 허튼짓은 안 한다는 거. 이걸 알아주는 사람이 있어야 되는데… 안타깝다.

됐다. 그만하자. 그만해도 된다. 솔직히 어디에도 깃발 꽂을 만한 데를 발견하지 못했다. 돈, 여자, 집, 차… 다들 그런 거에 깃발 꽂고 달리니까 덩달아 달린 것뿐. 욕망도 없었으면서 그냥 같이 달렸다. 이 길로 쭉 가면 행복하지도 않고 지치기만 할 뿐. 그만하자. 용감하게!

염미정

삼 남매 중 막내, 카드회사 계약직

사랑받을 자신은 없지만, 미움받지 않을 자신은 있다.

자신을 대화의 중심에 놓는 데 능숙한 또래들에 비해, 미정은 말로 사람들의 시선을 모으는 데 재주가 없다. 나의 말과 그들의 말은 다르다. 그들끼리 통하는 유쾌하고 소란스러운 말들은 어느 한 구절도 미정의 마음에 스며들지 못하고 튕겨 나간다. 그래도 늘 웃는 낯으로 경청하고 수더분하게 들어준다. 까르르 웃어 넘어가는 또래들을 보면 여전히 낯설다.
저들은 정말 행복한 걸까? 나만 인생이 이런 걸까? 인생이 심란하기만 하다.
무표정하다가도 눈앞에 사람이 들어오면 자동으로 미소. 사회적으로 적응된 인간. 조직에선 그렇게 움직이나, 어려서부터 나고 자란 동네에선 무뚝뚝한 표정을 숨기지 않는다. 혼자 있을 때는 깊은 얼굴이 된다. 곧 죽어도 이상하지 않은 얼굴. 지칠 일 없이 지친다. 누구와도 싸우는 일 없이 무던하게 살아왔지만, 티 내지 않고 있었을 뿐, 사람들에 대한 실망과 앙금은 차곡차곡 쌓이고 있었다. 어쩌면 그것이 온 우주에 나 혼자 있는 것 같은 기분이 들게 한 것은 아닐까? 지칠 일 없이 지친 원인 아니었을까? 생각하면 좋기만 한 사람! 그런 사람 하나만 있다면! 앙금 하나 없이, 생각하면 좋기만 한 사람이 있다면!

만들어보자. 그런 사람. 멈추지 말자. 주저앉지 말자. 이게 인생일 리 없다. 길을 찾자. 나는 해방될 것이다.

구씨

외시인

하루를 견디는 데 술만큼 쉬운 방법이 또 있을까? 마시다 보면 취하고, 취하다 보면 밤이고… 그렇게 하루가 간다. 이 생활도 괜찮구나. 우울한 기분은 잠깐. 우울하면 또 마시면 된다. 동네 어른이 잠깐 도와달래서 도와줬더니, 그 뒤로 틈틈이 부른다. 돈도 주고 밥도 주면서. 하루에 몇 시간 아니지만 일하면서 술 마시니 그렇게 쓰레기 같지만은 않은 느낌.

어느 날 갑자기 이 마을에 들어와 조용히 술만 마시는 나에게, 사람들은 섣불리 말을 걸거나 자기들의 세계로 끌어들이지 않는다. 뭔가 쓴 맛을 보고 쉬는 중이겠거니 생각하는 듯. 사람들과 말없이 지낸다는 게 이렇게 편한 거였다니. 그동안 사람들 사이에서 자신을 어떤 인간으로 어떤 위치에 놓아야 될지, 얼마나 피곤하게 계산해 가며 살았었는지 새삼 느낀다.

그렇게 지내는데 어르신의 딸이 찾아왔다. 이 생활에 푹 젖어 있는 나를 다시 정신 차리게 해서 억지로 일으켜 세우고 싶지 않다. 남녀 관계에서 또 어떤 옷을 입고 어떤 인간을 연기해야 하나. 그럴 의지도 기력도 없다. 이 여자, 태생적으로 주목받을 수 없는 무채색 느낌이 나는 게, 사회생활 힘들었겠구나, 그래서 용트림 한번 해봤구나 싶다. 어랏, 이 여자 은근 꼴통이네 이거. 물러날 기색이 없다.

그래, 잠깐인데 뭐 어떠랴. 불안하다. 그녀와 행복할수록 불안하다.

염제호

삼 남매의 아버지

아침에 일어나 밤에 잠자리에 누울 때까지 한시도 쉬지 않는다. 다세대주택에 들어가는 싸구려 싱크대를 만들어 다는 일을 하면서, 잠깐이라도 짬이 나면 밭일을 한다. 커피 한 잔 사 마셔본 적 없고, 잠깐 숨 돌릴 때도 앉아서 쉬어본 적 없다. 20년 전, 매제 사업에 보증 잘못 서줬다가 휘청하면서, 그거 갚느라 고생하면서 여전히 종일 일하는 신세가 됐다. 그나마 이 일을 하고 있었으니 그 어려운 상황에서도 집도 지키고 땅도 지켰다고 생각한다. 나이 들어 이 한마디는 하고 싶다. "폐 끼치지 않고 살았다." 노년에 누구한테도 기대지 않으려면 계속 이렇게 가야 한다. 그런데 이건 생각지 못했다. 이런 일이 생길 줄은. 맥이 탁 풀리는 것 같다. 왜 이 생각을 못했을까? 이런 일이 일어날 수도 있다는 걸 왜 몰랐을까? 직장을 때려치우고 백수가 된 아들놈에게 매일 계획이 뭐냐며 족쳤을 때 아들놈이 했던 말이 생각난다. "아버지 인생은 계획대로 되셨습니까? 계획하고 여기까지 오신 거냐고요?"

곽혜숙

삼 남매의 어머니

살림살이 중에 신제품이 없다. 하다못해 수저 한 짝도 이삼십 년 전 것들. 마트에 가는 일 없고 밥상은 웬만하면 밭에서 나는 걸로 차린다. 그럼에도 삼시 세끼 뜨신 밥 새로 해서 맛깔스럽게 차려낸다. 돈 안 쓰면서 최대한 맛있게 차려내는 게, 매일 고생스럽게 일하는 남편에 대한 예의라고 생각한다.

자식 셋, 잘난 것도 없지만, 큰 하자가 있는 것도 아닌데, 남들처럼 평범하게 흘러가면 될 것 같은데, 왜 저렇게 서로 못 잡아먹어 안달인지, 왜 저렇게 걱걱대는지. 매일 저것들을 참아내는 게 고역이다. 그런 자식들을 맘에 들어하지 않는 남편 눈치 보느라 더 애간장이 녹는다. 얼른 다들 짝 찾아 나가줬으면 좋겠다.

난 아직도 느이 아부지가 이쁘다. 내 눈엔 아주 잘생겼다. 꼴같잖은 여편네 될까 봐 그런 내색 안 하고 입 다물고 살긴 하는데, 니들 다 내보내고 단둘이 살면 아주 좋을 것 같다. 그러니 제발 얼른 다 나가 다오.

조태훈

미정네 회사 경영법무실 과장

아내와 결혼할 때 최고의 패를 잡았다고 생각했지만, 아내에겐 아니었던 모양이다. 살면서 점점 실망하는 기색이 보이더니 결국 해외 나가서 공부 좀 하고 오겠다고 했을 때 감 잡았다. 이러다가 헤어지겠구나.

비록 이혼은 했지만 인생에서 제일 잘한 건 결혼이라고 생각한다. 이유는 단 하나, 사랑스러운 아이 유림이를 만났기 때문이다. 하지만, 이제는 사춘기에 접어든 딸아이가 제 엄마와 똑같은 기색을 내게 보인다. 견딜 수밖에.

딸아이를 챙기고, 누나 가게를 돕기 위해 회사, 가게, 집, 회사, 가게, 집… 다람쥐 쳇바퀴 같은 인생을 자처한다.

그런데… 저 여자 뭘까? 천둥벌거숭이 같은 저 여자…

지현아

삼 남매의 동네 친구

창희, 두환, 정훈과 들로 산으로 돌아다니며 개구리도 잡아먹고 공도 같이 찼다. 그중에서 항상 대장 노릇을 하던 현아. 스무 살이 되면서 가족이 다 같이 서울로 이사 갔다. 그 뒤로도 가끔씩 만나는데, 오랜만에 만나도 어제 만난 사람들처럼 스스럼이 없다. 이렇게 자유롭고 이렇게 뜨거운 여자가 또 있을까? 현아의 얘기는 촌스러운 이 동네 친구들에겐 신기하고 놀랍다. 수많은 남자를 만나봤기에 현아가 말해주는 에피소드는 이들에겐 살이 되고 피가 된다. 인간에 대한 애정이 어마어마한데 자기혐오도 어마어마하다. 결정적인 순간에 들러 엎기, 도망가기, 깽판 치기가 주특기. 항상 안정적인 삶으로 접어들 수 있는 타이밍에 기가 막히게 비켜 간다.

1

EPISODE

"난, 조선시대가 맞았어. 사람 고르고 선택하는 이 시대가, 난 더 버거워."

1. 미정 회사 외경 (낮)

새파란 플라타너스에 매미가 울고, 눈이 부시게 뜨거운 고층 건물.

2. 푸드코트 (낮)

점심시간을 맞아 넓은 푸드코트에 나온 직장인들이 꽤 있고, 한구석에 젊은 여자 여섯 명(한수진, 김지희, 여직원1과 여직원2는 미정과 동갑. 백보람은 미정보다 두어 살 아래로 미정과 같은 계약직)이 앉은 테이블이 보인다. 식사는 거의 끝났고, 모두가 상체를 당겨서 빠르고 작게 떠드는데, 그 와중에 여럿이 같이 시키고 남은 음식을 여전히 먹고 있는 미정. 이야기를 귀담아듣고 같이 웃고 하지만, 대화에서는 뒤로 물러나 있는 모양새(듣는 미정의 모습 위주로).

수진 나 탱고 동호회 갔었다가 기겁한 게, 가까이서 숨소리 다 들리고, 숨소리는 왜 이렇게 크니?

모두 (어우…)

수진 (탱고 동작) 부장님 어깨에 손 얹는데 손이… 후끈후끈… 축축해…

모두 (어우…)

지희 탁구는 땀을 뿌려 그냥. 쓸어서 털어. 다 튀어.

모두 (어우…)

수진 엘베에 부장님이 타는데, 나도 모르게 순간 뒤로 물러나게 되는 거 있지. 그날의 그 축축한 기운이 그냥 느껴져. 사내 동호회에서 땀나고 그러는 건 아니라고 봐. 내가 부장님이 몸소 만들어 내신 육즙을 만져야 될 이유는 없잖니?

모두 (어우…)

수진 뮤지컬, 연극 이런 거 관람하는 동호회가 제일 나아. 가만히 앉아서 각자 보고.

지희 그런 동호회 문제는 2차야. 감동과 해석은 자기 몫이잖아. 2차 가면 꼭 자기 해석을 강요한다니까. 난 재밌었어. 재미없는 거래. 돌아버려. 자기 의견 안 먹히면 또 삐져요. 동호회도 젊은 사람, 나이 많은 사람 나눠서 하면 안 되나.

수진 (격하게) 그니까! 그런 거 건의하면 안 되니?

모두 그럼 또 삐져요. 부장님들.

지희 (여직원1에게) 니네 동호횐 연령대 어떻게 되니?

여직원1 거의 40대야.

지희 으… 미정이 니네 동호휜?

미정 (갑작스런 질문에) !

수진 얜 동호회 안 하잖아.

지희 아 맞다. 얘 안 한다.

모두 (엥?)

여직원1 하나도?

미정 (미소)

여직원1 지원금도 나오는데 왜 안 해? 두세 개씩 하는 사람들도 많은데.

미정 그냥. (대충 미소로 때우려는데 계속 쳐다보자) 배우고 싶은 것도 없고.

지희 야. 누가 배우고 싶어서 가니? 놀려고 가는 거지. 연애도 하면 좋고(히히).

수진 딱 가자마자 3초면 감 와. 내 건 없다. 열에 아홉은 없어. 거의 없어. 진짜 없어. 근데 한 번은 있다는 거. 있을 수 있다는 거. 그 한 번을 위해서 열 군데 도는 거야. 오늘 나랑 가자!

미정 (미소)

3. 볼링장 (밤)

공을 던지고, 볼링 핀들이 쓰러지고, 환호해 주고… 그런 무리 속에 있는 미정. 수진은 처음이 아닌 듯 무리와 잘 어울린다. 나이 든 남자 상사가 공을 만지며 미정에게,

남자 동호회 활동을 아무것도 안 해? 왜 안 해? 좋은 게 얼마나 많은데.

미정 집이 멀어서요.

남자 어딘데?

미정 산포시요.

남자 용인 쪽인가?

미정 ..수원 근처요.

남자는 미정의 대답에 별 관심 없는 듯 공 들고 라인만 유심히 보고. 옆에 서 있는 미정은 뻘쭘하고. 미정은 자기 순서 때 공을 던지는 것 말고는 나머지 시간이 어색하다. 다른 직원들처럼 공을 던진 동료에

게 일어나 환호해 주기도 하지만, 그마저도 뭔가 어색하다. 그래도 여전히 수더분한 얼굴을 하고, 나른 이들이 신경 쓰지 않도록 잘 어울리는 척. 괜히 핸드폰을 열어 톡을 한다. 동호회를 하지 않는 이유가 관계가 어려워서인 것 같은 느낌. 삼 남매의 단톡방에 글을 쓴다.

[미정: 나 오늘 늦을 것 같은데 …]

핸드폰 화면을 가만히 보는 미정. 숫자가 2에서 1로 바뀌면.

4. 고깃집 (밤)

강남역 근처의 고깃집에서 핸드폰에 답문을 찍는 기정.

핸드폰을 내려놓고 친구들(김원희, 정혜련)에게

기정 야, 더 마셔도 돼. 나 오늘 택시 타고 들어갈 거야.

원희 미정이도 늦는대?

5. 볼링장 (밤)

들어오는 톡을 보는 미정.

[언니: 나도 늦어. 12시에 강남역에서 봐.]

기정의 답에도 아직 숫자 1이 떠 있는 상황.

6. 창희 회사. 복도 (밤)

그 1의 주인공으로 보이는 남자의 등.

핸드폰을 하는데 빠른 손동작과 거친 숨소리로 열받았다는 게 느껴지고. 굳은 얼굴로 다다다 치다, 들어오는 글을 보고는 욕을 참으며 또 다다다다… 반복.

그러다 도저히 안 되겠는지 손을 멈추고 심호흡.

컷 튀면, 결국 통화를 하고 있다.

창희 그냥 얼굴 보고 얘기하자고. 연애도 톡으로 했는데, 사랑한다 보고 싶다 싸우고 별 지랄 다 톡으로 했는데, 이별도 톡으로 하냐? 내가 이별만큼은 이 쩌렁쩌렁한 육성으로 니 귓구녕에 정확하게 때려주고 싶다. (늦는다고) 기다릴게. 기다린다고.

7. 볼링장 (밤)

진동으로 울리는 핸드폰을 보는 미정. 톡이 들어와 있다.

창희 (E) 나도 늦어.

8. 회사. 복도 (밤)

톡을 하는 창희.

창희 (E) 이따 봐.

핸드폰을 접고 씩씩대며 사무실로 들어가는 창희.

9. 술집 (밤)

볼링을 끝내고 2차로 술을 마시는 자리.

술잔을 앞에 놓고 신나게 떠들어대는 사람들.

미정은 성심성의껏 듣고, 잔을 부딪쳐 주고, 미소를 잃지 않는다.

그렇게 있다가 핸드폰 시계를 보고는, 주섬주섬 일어날 채비를 한다.

수진 왜? 가게? 좀 더 있다 가지.

미정 늦었어. (무리에게) 저 먼저 일어날게요.

남자 왜? 벌써 가게?

미정 막차 시간이 다 돼서…

수진 (거드는) 얘 집 멀어요.

남자 집이 어디랬지?

아까 물어놓고 또. 별로 궁금하지도 않으면서 해대는 질문들.

남자　　이사 오지. (옆 직원에게) 우리 회사 거주지 보조금 나오지 않나?

여직원　천만 원밖에 안 나와요.

남자　　그거밖에 안 나와?

미정이 일어나는 중에도 자기들끼리의 대화로 옮겨가고.

한수진은 앉아서 양손으로 빠이빠이.

10.　도심 일각 (밤)

좀 전의 밝았던 얼굴과 달리 아무런 표정이 없는 얼굴로 걸어가는 미정. 핸드폰을 꺼내 전화한다.

미정　　어디야?

11.　고깃집 앞 (밤)

미정이 걸어와 한 술집으로 들어가고.

12.　고깃집 (밤)

기정은 들어오는 미정을 보고는 핸드폰 시계를 확인하고

기정 왜 이렇게 일찍 왔어?

미정 (기정의 친구들에게 인사하며, 자리에 앉고)

원희 오랜만이다. 넌 연앤 안 하니?

미정 (웃으며) 어후…

혜련 (손 들고) 여기 맥주잔하고 젓가락 좀 주세요!

컷 튀면, 기정은 하던 얘기 계속하는 분위기.

기정 집이 어디냐길래, 난 경기도민이니까 어딜 가도 서울 나들이다, 그러니 편하게 약속 장소 잡아라… 내가 그러긴 했어.

미정 (또 이 얘기. 아는 얘기인 듯 피식 웃고)

기정 그래도. 기본적으로 경기도 남부냐 북부냐 동부냐 서부냐 물어봐야 되는 거 아니니? '아, 그래요.' 그러더니 삼청동에서 보재. 돌아버려. 내가 로드 넘버 원을 따라서 꾸역꾸역 올라가서 한강을 건너건너 올라갔다. 분명히 경기도가 어떻게 생겨먹은지도 모르는 놈일 거야. 그렇게 힘들게 갔는데… 아… 눈물 나. 우리나라 총 어디서 파니? 뺨 석 대로는 분이 안 풀려. 총을 세 방 쏴 버려야지.

미소로 듣고 있던 미정이 문득 한 곳을 보고는 멈칫!
그와 상관없이 계속 떠들어대는 기정.

기정 경기도민이! 주말에도 서울 나가는 게 어떤 건 줄 알아? 근데! 그런 놈을 소개시켜 줘? 내가 한 번 갔다 온 거 뭐라고 안 해.

요즘 세상에 그게 뭐 흠이야? 부러워. 갔다 온 것도 부러워 난. 두 번 갔다 온 것도 암말 안 해. 근데. 애 딸린 홀아비가 말이 되냐?

시선 내리고 긴장해 있는 미정.

기정 세상에 자기 자식보다 끔찍한 게 어딨니. 근데 난 걔가 하낫-도 안 소중해. 남의 자식이 뭐? 여기서부터 얼마나 큰 게 어긋나는 거냐고. 남녀가 뜻을 같이해서 살려고 하는데, 서로한테 가장 소중한 게 달라. 이게 되니?

기정은 울분을 토해놓고 목 좀 축이는데, 원희와 혜련은 통에 휴지가 떨어진 걸 알고 다른 테이블을 둘러보다가 그제야 눈에 띄는 바로 옆 테이블.
30대 후반의 남자(조태훈)와 초등학교 4학년 정도의 여자애(조유림)가 묵묵히 고기를 구워 먹고 있다. 누가 봐도 홀아비와 딸내미 같은. 면목 없다는 듯 말없이 고개도 못 들고 먹기만. 좀 전에 미정이 본 게 그 테이블인 듯 마음이 불편한 얼굴.
기정만 못 보고 또 떠든다.

기정 애가 중2란다. 중2 알지? 이 뇌의 회로가 동물인지 고장 난 사이보그인지 가늠이… (그러다가 그 테이블을 봤다!) 안 되는… 거…

이 일을 어쩌지? 모두 침묵. 양쪽 테이블 모두 침묵.
친구가 괜히 한마디 한다.

원희 아이 있는 사람끼리 결혼해서 잘 사는 집들 많아. 서로 자식 소중한 거 알고… 서로 챙기고…

그리고 다시 조용. 분위기만 더 어색해지는 것 같다.
그때 한 여자(조경선)가 들어와 그들의 테이블로 가서 앉는데, 걷는 폼이 벌써 한잔 걸친 듯. 그래도 다행이다, 엄마인가 보다 싶어서 죄책감이 좀 덜어지려는데 그녀가 들어오는 타이밍에 핸드폰에 문자를 찍던 유림이 핸드폰을 놓는다. 그녀가 자리에 앉자마자 울리는 핸드폰. 문자를 확인하고는 가만히 부녀를 본다.

경선 왜 아무 말도 하지 말래? (문자 내용이 그랬던 듯)

우리만 느끼는 불편함이 아니었구나 싶은 기정 쪽.
양쪽 테이블의 긴장.

경선 왜. 싸웠니 둘이?
태훈 …
경선 넌 애 생일날 그러고 싶니?

심지어 생일! 무참해지는 기정의 테이블.

경선 (유림에게) …엄마가 뭐 보냈어?

심증이 확증되자, 기정의 테이블은 더욱 죄인 된 기분이고.

태훈 얼른 먹어.

경선 내 얼굴을 봐라. 안 먹은 거 같니?

태훈 …

기정의 테이블은 괜히 조용히 부산스러워지고, 자기들끼리 괜히 아무 얘기나 웃으며 조근조근 하는데 계속 어색하다.

경선 (유림에게) 엄마가 뭐 보냈는데? 아무것도 안 보냈어?

유림 보냈어.

경선 근데 왜 말을 안 해 뭐 보냈는지?

유림 …내가 돈 달라고 했어.

모두 …!

그 말에 기정의 테이블이 또 조용해지고.

경선은 선물이 든 쇼핑백을 테이블에 놓는다.

경선 축하해. 이어폰이야. 비싼 거야.

유림 (쇼핑백을 옆 의자에 내려놓고) 고마워.

경선 (뚝뚝) 태어나 줘서 고맙다. (진심) 진짜 고마워.

태훈 …

유림 …

경선 (자기 잔에 술 따르며) 큰고모나 나나, 너밖에 누가 있냐. 늙어서 정 아쉬울 때, 그래도 전화할 데는 있다는 거. 부담 가지라고 하는 말 아냐. 너 귀찮게 안 해. 웬만하면 그냥 한 방에 콱! 갈 거야.

모두 …

경선 그냥 든든하다고. 보험처럼. (피식) 태어났을 때 진짜 (자기 팔뚝을 잡고) 요만해서, 이거 사람 되는 건가 싶었는데… 살이 어떻게 붙어서 어떻게 사람 되나 싶었는데… (그러다 소곤대는 기정의 테이블을 보고 대뜸) 원래 술집에서 그렇게 작게 말해요? 나 처음 보네. 술집에서 이렇게 작게 말하는 사람들.

기정의 테이블은 당황해서 괜히 부산스레 움직인다.

"어우 힘들어. 너무 마셨어. 야. 늦었다. 가자."

그때 태훈과 미정의 시선이 부딪치고.

어쩔 수 없이 미정이 먼저 조용히 고개를 숙인다.

태훈도 조용히 고개를 숙이고. 서로 침묵의 인사.

기정은 그런 둘을 보고는 이건 무슨 분위기인가 싶은데,

그때 기정이 가방을 추슬러 메다가 가방에서 립스틱이 떨어진다.

하필 그게 태훈 쪽으로 또르르 굴러가고. 아 뜨벌!

친구들은 그 상황을 보고는 에라 모르겠다 그냥 휙 나가버린다.

기정은 최대한 태훈을 피해 그걸 주워 오고 싶은데 의자들이 다닥다닥 붙어 있어서 힘들고. 그때,

경선 (태훈에게) 좀 주워드려라!

태훈은 어쩔 수 없이 떨어진 걸 주워주고.

기정은 90도로 고개 숙이며 기어들어가는 목소리로

기정 감사합니다.

태훈은 엮인 김에 말한다. 정확히 기정의 눈을 보고 말하는 건 아니지만,

태훈 제가 비록 이혼했지만, 제 인생에서 제일 잘한 건 결혼이에요. 어디 가서 이렇게 사랑스러운 아일 만나겠어요.

기/미 …

가만히 앉아 있는 유림이 왠지 안쓰러워 보이고…

그 말을 끝낸 태훈도 안쓰러워 보이고…

죄인처럼 가만히 있는 기정과 미정.

모두가 슬픈 분위기…

13. 도심 일각 (밤)

친구들과는 이미 헤어졌고. 굳은 얼굴로 걷는 기정과 미정.

기정이 앞서 걷고. 그렇게 말없이 가다가

기정 어떻게 아는 사이야?

미정 같은 회사.

기정 (욱) 그럼 진작에 아는 척을 하지! (괜히 탓하고)

미정 그냥 얼굴만 아는 정도야. 같은 팀도 아니고.

기정은 뿔나서 가버리고. 미정도 기분이 별로다. 괜히 욕먹고.
떨어져서 말없이 걸어가는 두 사람.

14. 고깃집 앞 (밤)

남장 여자 같다고나 할까, 독특한 분위기의 40대 후반 여자(조희선, 태훈의 큰누나)가 빙긋 웃으며 다가오는데, 질린다 싶은 표정으로 그녀를 보는 경선…

희선 (유림에게 살갑게) 아침에 고모가 끓인 미역국 먹었어?

경선 그게 국이냐? 국자도 안 들어가게 빡빡하게…

희선만 살가운 표정이고, 나머지 셋은 데면데면한 얼굴로 뚝뚝하게 걸어간다.

15. 도심 일각 (밤)

기정은 씩씩대며 전화를 하고 있고, 미정은 그 옆에.

기정　우리 왔다고! 빨리 오라고!

창희　(F) 금방 간다고! 근처라고!

전화가 바로 뚝 끊기고.

기정은 이씨… 열받아 다시 전화하고.

미정은 그런 거친 기운이 불안하고 답답하다.

16. 거리 일각 (밤)

손에 들린 핸드폰은 진동으로 계속 울리고, 여친과 싸우고 있는 창희.

둘 다 만만찮게 열받은 상태.

창희　나랑 톡하면서 그놈이랑도 톡하고 있던 거 아냐, 동시에. (그것도) 새벽 한 시에. 양쪽 창 왔다 갔다…

예린　넌 안 그래? 넌 한 번도 안 그래봤어? 두세 개 톡방 왔다 갔다 사람들 다 해!

창희　새벽 한 시에 애인이랑 톡하면서 딴 놈이랑은 안 그래. 딴 놈이랑 톡하다가 애인한테 '나도 보고 싶어요 선배님' 그랬다가 훅 지우고, 그딴 짓은 안 해. 애인하고 톡하면서 저쪽 방에 하트하트하트하트하트 키읔키읔키읔키읔 막 날리진 않아.

예린　내가 만나서 끼를 부렸어, 뭘 했어? 글은 실제보다 엄청 상냥해야 돼. 안 보이니까! 이게 웃으면서 하는 말인지 정색하면서 하는 말인지 모르니까! 그래서 히읗히읗히읗히읗히읗 키읔키읔키

읔키읔키읔 정신없이 붙이는 거야. 넌 그렇게 안 써?

창희 그래서 보고 싶다는 말도 막 하고 그러는 거냐? 상냥해야 돼서?

예린 (돌겠는) 보고 싶다는 말이 뭐? 난 BTS도 보고 싶고, 우리 할머니도 보고 싶고, 삼촌도 보고 싶고, 보고 싶은 사람 엄청 많아! 넌 보고 싶은 사람 없어? 보고 싶다는 말도 안 하고 살아?

창희 보고 싶다는 말은 사랑한다는 말인 거 모르냐?

예린 (돌겠다) 너한테나! 너한테나 그런 말이고!

창희 사람들한테 물어봐. 새벽 한 시에 보고 싶다고 톡 주고받는 남녀가 아무 사이도 아닌가! (끊겼다가 다시 울리는 전화를 받고, 버럭) 기다리라고 쫌!! (전화를 확 끊고)

예린 (동시에, 둘러보며) 그래, 물어보자. 누구한테 물어볼까?

창희 물어봐!

예린 넌 이 와중에 혼자 택시비 내고 갈까 봐 걱정이지? 여기서 만나자고 한 것도 너 집에 가기 편하려고 한 거지? 마지막인데 그러고 싶냐?

창희 어! 어! 무지 그러고 싶어! 마지막인데 한 번은 중간에서 만나도 되지 않냐? 나 너 만나는 내내 니네 동네까지 갔어. 강북에서 우리 집이 얼마나 먼지 아냐? 너랑 헤어지고 우리 집까지 맨날 한 시간 반 걸려서 갔어.

예린 니 사정이고요! 누가 멀리 살래?

창희 ··그놈은 서울 사냐?

예린 (열받아 발을 구르고. 돌아버리겠다.)

창희 하나만 묻자. 그놈이 너 애인 있는 건 아냐 모르냐?

예린 남친 있는 건 알아!

창희 남친은 애인 아니냐?

예린 (돌겠는) 요즘 누가 애인이라는 말을 쓰니? 구리게? 70년대생들도 애인이란 말은 안 써. 물어봐 좀. 그런 말 쓰나 안 쓰나. (짜증이 치미는) 너 아니? 넌 진짜, 견딜 수 없이, 촌스러!

창희 !

예린 끔찍하게 촌스러!

창희 !

17. 달리는 택시 안 (밤)

창희는 앞좌석에, 기정과 미정은 뒷좌석에. 서로 한마디도 없다.

화려한 고층 빌딩의 불빛이 등 뒤로 흘러간다.

각자 서울에 싸질러 놓고 온 감정의 오물을 생각하는 듯.

창희는 휑한 얼굴이다. 예린의 마지막 말이 비수처럼 꽂힌 듯.

그렇게 화려한 도심을 빠져나오면서 점점 어두워지는 풍경.

뜨문뜨문 흘러가는 가로등 불빛…

좀 전까지 지랄 떨었던, 네온사인과 고층 건물이 즐비한 그 세계가 무슨 세계였나 싶고. 여기는 또 무슨 세계인가 싶다. 서울과 경기도의 경계선을 넘으면서, 두뇌도 감정도 전압이 바뀌는 건지 셋 다 잠잠해진다.

차창 뒤로 [당미역] 역사가 멀어지는 게 보이고,

이제 집 한 채 건물 하나 보이지 않는다.

조명도 거의 없는 시커먼 산… 시커먼 배추밭… 모든 게 기이하다.

집에 거의 다 온 듯, 각자 지갑을 열어 돈을 꺼낸다.
기정이 미정에게 만 원을 건네고, 창희도 미정에게 만 원을 건네는데, 그 만 원이 참 슬프다. 미정은 만 원짜리를 지갑에 챙겨 넣고 대신 카드를 꺼내고.

18. 집 앞 (밤)

택시에서 내린 창희가 집 쪽으로. 기정도 그쪽으로.
미정이 지갑에 카드를 챙겨 넣으며 제일 마지막으로 내리고.
택시는 차를 돌려 나간다.
셋 다 뚝 떨어져서 말없이 집으로.

19. 집. 마당 (밤)

마루에 서서 늦게 귀가하는 삼 남매를 못마땅한 눈으로 보는 엄마(곽혜숙). 자다 나온 차림새. 창희는 마당에서 겉옷을 벗어젖히고, 벗은 옷은 빨랫줄에 건다.
기정과 미정은 힘없이 "다녀왔습니다" 하며 들어가고.
자매가 들어가는 동선에서 보이는, 열려 있는 안방 풍경.
어두운 방에 선풍기가 조용히 돌아가고 아버지(염제호)가 누워 있다.
창희가 발로 쇠 세숫대야를 수돗가로 밀자 요란하게 소리가 나고.

혜숙 (낮게) 습! 시끄러. (그리고 안방 쪽을 본다. 행여 남편이 깰까 봐)

20. 집. 자매 방 (밤)

회전하는 선풍기.

기정과 미정, 둘 다 옷을 갈아입었고, 기정은 화장을 지우는데

[INS. 술집에서 태훈이 말하던 모습이 무음으로 들어왔다가 나가고]

계속 신경이 쓰이는 듯.

기정 아까 그 사람, 우리 야단친 거 맞지?

미정 …잘못했잖아 우리가.

기정 …누가 알았냐.

미정 …

기정 …미안하다고, 애 생일 선물이라고 그러고 상품권 줘. 내가 줄게.

미정 …오바야. (수건 들고 나가고)

기정 … (찝찝한 듯 기분이 별로고)

21. 집. 마당. 수돗가 (밤)

창희는 팬티만 입은 채로 찬물을 들이부으며 전투적으로 벅벅 씻고.

컷 튀면, 대충 물기를 닦고 난 후, 면 티를 챙겨 입은 상황.

젖은 머리칼과 젖은 얼굴로 가만히 앉아 있다.

눈앞엔 적막한 어둠.

22. 집 앞 (다음 날, 낮)

시끄럽게 매미가 울고 태양이 내리쬐는 가운데, 덩그러니 있는 집.
집 앞에는 너른 밭이 펼쳐져 있고, 멀리 있는 밭에 세 개의 머리가 보인다.
제호, 혜숙, 그리고 구씨.
셋이 대파를 뽑아 묶는 작업을 하고 있다. 혜숙은 한쪽 무릎에 관절 수술한 자국. 무릎이 굽혀지지 않아 불편한 자세. 그렇게 일하다가 혜숙은 집 쪽으로 부랴부랴.
두 남자는 상관없이 계속 일만.

23. 집. 주방과 거실 (낮)

창희는 이제 일어난 듯 핸드폰을 만지작거리고 있고, 혜숙과 미정은 분주하게 움직인다. 혜숙이 냉장고에서 미리 타둔 믹스커피 페트병을 내놓으면, 미정은 보냉병에 그걸 쏟고 거기에 얼음을 쏟아 넣고, 혜숙이 또 물에 담가놓은 돼지등갈비를 건져 솥단지에 넣으면, 미정은 김치통을 꺼내 놔주고, 혜숙은 포기김치를 털어 솥단지에 넣고… 둘이 합을 맞춰 움직인다.
그때 기정이 나갈 채비하고 방에서 나오자

혜숙　넌 또 어디 가?

기정　머리하러.

혜숙　맨날 힘들다고 아침마다 징징대면서, 또 나가? 주말에? 그냥 쉬지?

기정　(욱) 쉬게 하나?

혜숙　…

기정　오늘 같은 날 밭일하면 죽어요.

혜숙은 할 말 없는 듯 움직이고, 기정은 나가버린다.

미정은 팔 토시며 밀짚모자며 밭일할 채비하고 마실 것들을 챙겨 나가는데, 창희는 핸드폰을 던져두고는 심드렁하니 앉아 있고. 혜숙은 그런 창희를 못마땅해하다가… 그러지 말자 싶다가… 결국

혜숙　가 거드는 척이라도 해. 종일 빈둥대다가 또 아부지한테 한 소리 듣지 말고.

창희　… (그래도 가만)

혜숙　안 불편하니? 늙은 아버진 아침부터 뙤약볕에서 쉑쉑거리면서 일하는데?

창희　나갈 거예요.

그러고 가만. 눈앞에 보이는 뜨거운 햇볕.

가뜩이나 마음도 좋지 않은데.

에잇! 나가보자. 훅 일어나 나가고.

24. 밭 (낮)

코끝에서 땀이 뚝뚝 떨어지고, 어깨가 들썩일 정도로 숨이 찬 창희.
그래도 열심히 한다. 어제의 감정 노폐물을 빼내듯이 사력을 다해.
미정의 얼굴도 벌겋다. 완전히 달아오른 얼굴.
구씨는 깊게 눌러쓴 밀짚모자 사이로 땀이 줄줄 흐르는데도 숨소리 한번 내지 않고. 다들 야무지고 일사불란한, 일을 일답게 하는 고수들의 손놀림과 몸짓.
간단히 새참을 먹는 시간.
각자의 자리에서 휴식을 취하고 있다.
혼자 뚝 떨어져 앉아 쉬고 있는 구씨.
구씨는 선선한 바람에 넋이 빠진 듯, 먼 산을 응시하며 미동도 안 하고.
아버지 제호가 먼저 일어나자 구씨가 따라 일어나고, 미정과 혜숙도 따라 일어난다. 마지막으로 창희가 일어나지지 않는 몸을 간신히 일으켜 세운다.
저물녘이면, 남자 셋이 한쪽에 가득 쌓인 대파를 (업자의) 트럭으로 올린다.
혜숙과 미정은 먼저 집 쪽으로 간다. 새참으로 먹었던 빈 그릇들을 들고.
힘들어 넋이 나간 듯한 미정의 벌건 얼굴.

25. 집. 마당 (초저녁, 혹은 밤)

마당 평상에서의 저녁 시간. 상에는 돼지등갈비김치찜.

고된 노동을 끝내고 열심히 먹어대는 무리.

먹는 소리 외에는 아무 소리도 안 들리는데.

창희 (눈치 보다가) 저기… 아부지…

혜숙은 이놈이 왜 또 입을 놀리나, 괜히 남편의 눈치를 살피고.

제호는 못 들은 사람처럼 먹기만.

창희 드릴 말씀이 있는데요.

제호 (시선도 안 주고) 그냥 조용히 먹어.

구씨는 부자지간의 싸한 기류를 감지하고.

제호는 손님도 있는데 너무했나 싶어 구씨에게 술을 따라 주고.

구씨에게는 예의와 애정이 묻어나는 느낌.

창희 뭐 도와달라 그런 건 아니고요, 그냥, 허락만 해주시면 돼요. 그냥 '알았다…' 허락만.

제호 (무시하듯 그냥 먹기만)

창희 (눈치 보다가) 저… 차 사려고요.

제호는 혈압이 오른다. 혜숙은 속이 터지고. 구씨는 눈치가 보이고.

혜숙은 서둘러 구씨의 밥그릇에 고기를 얹어준다. 상관 말고 얼른 들라는 식.

창희 (OL) 전기차는 돈 안 들어요. 만땅 충전해도 7천 원이구요, 한 달에 5만 원이면 뒤집어쓴대요. 5만 원이면 버스 타고 전철 타고 다니는 것보다 훨씬 싸잖아요. 차도 중고는 진짜 얼마 안 해요.

제호 너 차 뽑아서 개고생한 지 얼마나 됐어?

창희 그땐 제가…

제호 (OL) 주제도 안 되는 놈이 할부로 차 뽑아서는 신용 불량자 될 뻔한 거 간신히 살려줬더니 고새 또.

창희 그땐 제가 잘 몰라서 그런 거고요, 이젠 제가 알잖아요. 제 씀씀이, 규모, 수입 대비 지출… 이런 걸 알잖아요. 거기에 맞게… 작게… 전기차로.

제호 (대화에 뜻이 없는 듯 먹기만)

창희 무조건 안 된다고만 하지 마시고요. 좀 들어보세요. 차라고 해서 이제 사치품도 아니에요. 폼 재고 그럴라고 차 산다는 것도 아니고요, 전기차로 무슨 폼을 재요. 속도도 안 나는데. 누나랑 미정이랑 우리 셋이 늦어서 택시 타고 오면 그게 3만 원이에요. 전기차로 3천 원이면 오가는 거리를 3만 원씩 주고 온다고요.

제호 (먹기만)

창희 어후 아버지 좀. 제가 억지 부리는 게 아니잖아요. 생각해 보면 그게 맞잖아요. 교통비보다 싼데. 전기차가. 무조건 차라고 반대만 하지 마시고요.

제호 찻값은?

창희 ··그니까 싼 걸로.

제호 또 할부?

창희 (그런 듯) 어후…

제호 (다시 먹기만)

창희 어우… (올라오는 걸 참다가, 욱해서) 아부지 제가 차도 없고요, 경기도민이에요. 어떻게 연애를 하고 어떻게 결혼을 합니까? 모든 역사는 차 안에서 이루어지는데 제가 차가 없습니다, 아부지! 어디서 키스를 해요, 남녀가!

그 말에 혜숙은 그냥 밥그릇 들고 일어나고. 제호는 당 떨어지는 듯 손이 떨리고. 구씨는 이 상황을 어떻게 해야 되나 싶은데, 미정은 들리지도 않는 사람처럼 먹고 있다. 창희는 서둘러 무릎을 꿇고 제호에게 콜라를 따라 주면서

창희 아 왜 그래요 또. 전 아부지한테 거짓이 없고 싶다고요. 정말 아부지한텐 숨기는 거 하나도 없고 싶어요. 차도 몰래 사서 어디 짱박아두고 안 산 척할 수 있어요. 그러고 싶지 않다고요. 진짜, 전 아부지한테 숨기는 게 하나도 없고 싶어요. 없었어요, 여태!

제호 숨겨라 제발 좀. 숨겨.

창희 어우…

미정은 그제야 다 먹은 듯 일어나고.

구씨는 여전히 밥이 남았다. 이걸 어쩌나…

26. 집. 주방과 거실 (밤)

미정은 설거지를 거의 끝내가고, 혜숙은 옆에서 수박을 크게 깍둑 썰며

혜숙 쌍놈의 시키… 밥상머리에선 암말도 말랬더니 또…

혜숙은 이것저것 먹을 것을 챙긴 쟁반을 밀어놓고

혜숙 내일은 아부진 아침 일곱 시부터 할 건데, 아홉 시까지 와도 된다고 그래. 그냥 아홉 시까지 오라고 하지 말고. 그럼 자기가 알아서 일찍 오겠지. 돈 주고 쓰는 사람도 눈치 봐야 되니…

미정이 쟁반을 들고 나가면, 혜숙은 분이 안 풀리는지, 쌍놈의 시키… 중얼중얼하며 국자를 집어 들어 개수대에 넣으려다가 한쪽에 걸린 삼 남매의 어린 시절 사진들 중에, 해맑은 창희의 사진을 향해 국자를 홱 쳐들고! 패 잡았으면 하는 마음.

27. 동네 일각 (밤)

미정은 무뚝뚝한 얼굴로 쟁반을 들고 구씨네로 가고.

28. 구씨네 앞 (밤)

테이블에 앉아 술을 마시던 구씨는 발소리에 고개를 돌려 보는데, 미정이 뚱한 얼굴로 와 시선도 안 주고 쟁반을 테이블에 놓으며

미정 내일은 아홉 시까지만 오면 된대요.

그리고 바로 돌아서 간다.
말 없는 낯선 남자가 어렵고 불편해 서둘러 가는 것.
구씨도 딱히 뭐라고 대답하지 않고, 미정의 뒤꽁무니만 보다 말고…

29. 동네 일각 (밤)

소년처럼 무뚝뚝한 얼굴로 구씨네서 나와 걷는 미정.
두환의 카페 쪽으로 가다가 저 멀리 기정이 오는 걸 본다.
바뀐 머리를 하고는 골난 얼굴로 오는 기정. 지친 데다가 머리까지 망해 성질났다.
그때부터 카페에서 노래하는 두환(오두환)의 노랫소리가 깔리고.
미정은 기정을 멀멀하게 보며 카페 쪽으로 간다.
기정은 시풀시풀거리며 걸어오고.

30. 두환 카페 (밤)

두환이 노래하는 카페 한구석엔 창희가 별로인 얼굴로 있고.

이 마을에 사는 젊은이들의 얼굴이 다 별로다.

31. 집. 화장실 (밤)

기정은 불편한 구옥 화장실에 쪼그려 앉아 구시렁대며 머리를 감고 있고.

혜숙은 열린 화장실 문 앞으로 와,

혜숙 머리하자마자 깜으면 다 풀려!

기정 풀리라고 깜는 거야!

혜숙은 주방 쪽으로 가며 혼잣말

혜숙 돈지랄이다…

속 터져 죽겠는 혜숙. 이것들을 다 어떻게 해야 되는지.

기정은 물이 뚝뚝 흐르는 젖은 머리를 수건으로 감싸고.

32. 두환 카페 (밤)

다시 노래하는 두환의 모습에서…

[INS. 카페 (낮) - 회상. 소개팅하는 중. 말하는 두환의 얼굴 위주로]

두환 (어울리지 않게 수줍고 설레는 표정) 투잡 뛰고 있습니다. 초등학교에서 축구부 코치도 하고, 카페도 하고. (얼른) 솔직히 원잡입니다. 카페는 거의… 망했고.

노래하는 두환 주변으로 보이는 카페 풍경.

한쪽에는 축구공이 가득 든 망이 있고, 이것저것 잡동사니가 쌓인.

[INS. 카페 (낮) - 회상. 다시 소개팅 자리]

두환 사실. 노래를 제일 좋아합니다. 노래하면서 사는 게 꿈입니다. (노래) 남들도 모르게 서성이다 울었지. 지나온 날들이 가슴에 사무쳐… (말) 이런 노래도 좋아하고. (수줍으면서 뿌듯한) 제가, 소리도, 좀, 지릅니다.

힘껏 소리쳐 노래하는 두환.

“2층에서 본 거리이이이--- 평온한 거리였어---

2층에서 본 거리이이이--- 안개만 자욱이 쌓이네---”

악에 받쳐 부르는 두환.

미정은 상관없이 빈 그릇과 냄비를 챙기다가,

미정　먹었으면 그릇 좀 갖고 와!

그래도 두환은 소리 질러 노래하고, 소파에 널브러져 있던 창희가 클라이맥스에서 목청껏 따라 부르고. 미정은 어우씨 저것들 하는 표정.

창희　(벌떡 일어나 앉으며) 언제 적 노래를 씨. 그니까 차이지 새꺄!

미정　(그 말에 두환을 보는)

두환　(순간 울먹울먹한 얼굴이 되고)

컷 튀면, 두환은 웃다 울다 반복한 듯 벌건 눈.
미정은 현관문 앞(바람이 부는 곳)에 간이 의자를 놓고 앉아 있고.

두환　어디다 마음 둘 데 없는 쪽팔림 아냐? 소개팅 끝나고 헤어지자마자 여자한테 정신없이 톡이 들어오는데… 나보고……… 유기견이래. (흐억. 우는지 웃는지 낄낄낄)

미/창　(덩달아 눈물 나게 낄낄낄)

두환　(진정하고 다시) 깨끗이 씻겨서 집에 들여도… 또 나가서 똥 묻히고 놀 놈이라고. (또 흐억. 낄낄낄) 소개시켜 준 애랑 둘이 하는 톡방인 줄 알고… 나도 있는데 계속…

미정　(어우 찡그리는)

두환　열받아서 막… 그러다가 '어맛!!' 그러더니 훅 나가.

미/창　(낄낄)

두환　지우고 나가지 씨이.

창희　너도 훅 나가면 되지.

두환 왠지, 그게 더 쪽팔려. (순간 주먹 불끈) '견뎌야 된다. 지운다고 없던 일이 될 순 없다. 견뎌야 된다.' (바로 핸드폰 내밀며 흐억) 지워줘. 거기서 나가줘.

창희 (웃기만)

두환은 창희에게 기대고, 창희는 그런 두환을 꼭 안아주고.
자신을 위로한다고 생각한 두환도 창희를 끌어안는데,

창희 고마워.

두환 (뭔 소린가 싶어서 보면)

창희 날 이겨줘서.

두환 (뭔 소린가)

창희 예린이가… 나 보고…… 견딜 수 없이 촌스럽대. (낄낄낄)

두환 (멍하게 보다가 주먹 쥐고) 윈. 유기견. (바로 어흑 쓰러지며 울겠는) 누가 나 좀 이겨줘… 미정아… 나 좀 이겨줘…

미정은 눈물 찔끔 흘려가며 낄낄낄.
[INS. 귀뚜라미 소리 울리는 동네 풍경이 흐르고]

33. 두환 카페 (밤)

어느 정도 잠잠해진 세 사람.

창희 …그 기지배가 나한테 상처가 되는 말이 뭔지, 정확히 알아.

두환 …유기견인 나로선 촌스럽다는 정도의 말은 별로… (상처 아닌 것 같은데)

창희 넌 그냥 딱 촌스런 인간이고! 난 그 말이 상처가 될 수 있는 경계선상의 인간이고!

두환 … (인정하는)

창희 …걔가 경기도를 보고 뭐래는 줄 아냐? 경기도는 계란 흰자 같대. 서울을 감싸고 있는 계란 흰자.

미정 (풉)

창희 내가 산포시에 산다고 그렇게 얘기해도 산포시가 어디 붙어 있는질 몰라. 내가 1호선을 타는지, 4호선을 타는지… (몰라) 어차피 자긴 경기도에 안 살 건데 뭐하러 관심 갖내.

두환 사람이 좋으면 그 사람이 사는 동네 먼저 검색해 보는 게 인간인데.

창희 … (그지)

미정 …

창희 뉴욕까진 아니어도, 적어도 서울에 태어났으면… 하고많은 동네 중에 왜 계란 흰자에서 태어나서.

말없이 듣고만 있던 미정이 묻는다.

미정 서울에 살았으면, 우리 달랐어?

창희 달랐어!

두환 …달랐다고 본다.

가만히 있는 미정. 그 말에 동의하지 않는 듯.

귀뚜라미 소리만 가득.

34. 집 앞 (다음 날, 아침)

아직 완전히 해가 뜨기 전.

아버지 제호가 집에서 나와 공장 쪽으로 가고. 공장 옆에는 [산포 씽크대/붙박이장]이라는 입간판이 크게 있다. 031로 시작하는 전화번호도 박혀 있고. 한쪽에는 용달차가 있다. 용달차에도 [산포 씽크대/붙박이장]이라는 문구와 전화번호가 붙어 있고. 끼이익 공장 문을 여는 아버지. 공장 안으로 들어가 밴딩기의 전원을 켜고, 목장갑을 끼고 이리저리 움직인다.

35. 집. 화장실 (아침)

거울 앞에서 (밤에 머리를 감고 자서) 한 올 한 올 부풀어 오른 머리를 보고 있는 기정. 씨이… 욕 나올 것 같다. 더 험해진 머리.

36. 집. 거실 + 자매 방 (아침)

방에서 드라이어 소리가 들리는 와중, 혜숙은 주방을 왔다 갔다 하고,

미정은 비운 밥그릇에 숭늉을 따라 마시며 일어난다. 개수대에 그릇을 넣기 선에 서서 남은 숭늉을 들이마시고.

기정은 머리를 만지다가 성질나 드라이어를 '탕' 놓고.

그 '탕' 소리에 혜숙은 애간장이 녹아나는 걸 참는 듯.

기정은 다시 드라이하려고 하는데 작동이 안 된다. 어우씨. 미치겠다. 눈물이 난다.

혜숙은 그런 기정이 안됐기도 하고, 속 터지기도 하고.

혜숙 아침부터 그러고 싶니? 머리하고 와서 밤새 시풀시풀… 눈뜨자마자 시풀시풀…

기정 … (울컥) 힘들어서 그래, 힘들어서!

혜숙 (보다가) 너만 힘들어? 쟤(미정)는 안 힘들어?

기정 쟤는 젊잖아!

기정은 울겠고, 혜숙은 포기한 듯 그냥 돌아서고.

혜숙 딴 게 팔자가 아냐… 심뽀가 팔자야…

소란에도 상관없이 묵묵히 움직이는 미정.

나가는데 시계를 보면 7시 즈음.

37. 집 앞 (아침)

미정이 집에서 나와 마을버스 정류장 쪽으로 가는데,
그때 구씨가 자기 집에서 나온다.

미정 !!

구씨는 공장 쪽으로 가면서 미정과 스쳐야 되는 상황. 거리가 좁혀지면서 긴장하게 되고. 서로 대놓고 인사하는 성품들은 못 되고, 그렇다고 인사를 안 하는 것도 아니고, 눈을 내리깔고 데면데면하게 비껴간다.

#공장 앞.
제호는 물건을 내놓다가 다가오는 구씨를 보고.

제호 밥은?
구씨 (대충 애매하게 인사. 안 먹은 듯)

구씨는 목장갑을 끼고 서랍장을 작업하려고 작업대 위에 올리고.

38. 마을버스 정류장 (아침)

미정은 멀리서 오는 마을버스를 보고. 공장 쪽을 한 번 본다.

자신이 9시까지라고 했는데 어떻게 알고 나가는 건지 싶은.

39. 당미역 앞 (아침)

#마을버스에서 내려 동네의 전철역으로 들어가는 미정.
사람들도 별로 없고, 마을버스 정도나 다니는 한산한 역사.
#지상에 있는 전철이 서서히 출발하고, 역사를 빠져나간다.

40. 달리는 전철 안 (낮)

전철은 지상을 달리는 중이고.
서서 가는 미정의 눈에 차창 밖 간판 문구가 보인다.
[오늘 당신에게 좋은 일이 있을 겁니다. - 해방교회]
좋은 일이 있기를 바라는 듯 잔잔한 얼굴.

41. 미정 회사. 행복지원센터 내 상담실 (낮)

행복지원센터 직원(소향기)과 마주 앉아 있는 미정. (회사에서는) 정색하지 못하는 성격이라, 불편한 상황에서도 우물쭈물 미소를 지으며 말한다.

향기　볼링 동호회 갔었다면서요? 어땠어요? 괜찮죠? 거기가 한번 들어가면 그만두는 사람들도 없고, 만족도가 꽤 높은 동호회예요. 어떻게, 이번 달부턴 거기로?

미정　(미소 지으며 우물쭈물)

향기　아니면 더 둘러보고 결정할래요?

미정　동호회… 꼭 해야 되나요?

향기　꼭은 아니지만… 직장 생활 별거 없잖아요. 무슨 일이든 6개월만 지나면 그 일이 그 일이고. 그래도 인간관계가 좋으면 다닐 만하니까, 일에 능률도 오르고…

미정　…

42.　미정 회사. 행복지원센터 홀 (낮)

대기 의자엔 태훈과 나이 든 부장(박상민, 50대)이 앉아 있다.
상민의 눈엔 [행복지원센터]라는 팻말이 영 못마땅해 보이고.
태훈과 상민은 같은 부서가 아닌 듯 어색하게 앉아 있는데.

상민　자네도 동호회 안 들었나?

태훈　··네.

상민　…

태훈　…

상민　관심 병사 같은 건가?

태훈　…

상민　내성적인 사람은 그냥 내성적일 수 있게 편하게 내버려 두면 안 되나.

그때 미정이 상담실에서 나오고. 태훈에게 살짝 목례를 하고.

43.　미정 회사. 복도 (낮)

행복지원센터에서 나와 복도를 걸어가는 미정.

44.　미정 회사. 행복지원센터 내 상담실 (낮)

이번엔 태훈이 향기와 마주 앉아 있고.

태훈　초등학교 4학년인 딸아이가 하나 있습니다. …(엄마는 없고요)…. 집에 가서 아이를 챙겨야 돼서요. 동호회 활동은 나중에, 형편 되면, 그때 하겠습니다.

45.　미정 회사. 사무실 (낮)

미정은 프린터에서 나온 인쇄물을 스테이플러로 찍고. 팀장(최준호, 30대 후반, 이하 최 팀장)에게 주고.

미정 여깄습니다.

최 팀장 땡큐.

자리에 와 앉아 핸드폰의 톡을 확인한다. 또래 여직원 단톡방.

[수진: 여러분 여러분. 민호식 대리님께서 오늘 을지로행을 제안하셨습니다!]

미정이 그걸 보고 있는데, 역시 같은 톡방을 보고 있는 옆에 앉은 지희가 그 톡에 입을 틀어막고 좋아라. 환호성 같은 이모티콘이 쏟아지고.

[지희: 꺄아악!!! 콜콜콜콜!!! / 보람: 안주빨 세워도 되나요. / 수진: 내가 다이어트 할게요. / 보람: 사랑합니다. / 수진: 전원 참석?]

톡의 숫자가 빠르게 줄어들며 모두 '콜'을 하는데,

그때 [수진: 염미정 읽으면서 또 가만 있다.]

피식 웃는 미정. [ㅎㅎㅎㅎ]을 치고. 이어서 [을지로까지 올라갔다가 집에 가려면 너무 멀어서.]라고. 이어서 후루룩 딸려오는 [ㅠㅠㅠ]류의 슬프다는 이모티콘.

[수진: 어떻게 청춘이 맨날 집에 가기 바쁘냐.]

미정이 미소 띤 얼굴로 뭐라고 쓰려는데, 그때 "아… 이게 아니지…"라고 짜증 섞인 혼잣말을 하는 최 팀장의 목소리가 들린다. 그 소리에 미정은 굳고.

최 팀장은 미정이 건넨 인쇄물에 신경질적으로 빨간 펜을 찍찍찍 긋고 있다.

미정은 얼른 핸드폰을 엎어두고 컴퓨터를 본다.

미정의 굳은 얼굴 위로 최 팀장이 신경질적으로 페이지를 넘기는 소리가 들리고.

46. 회사 근처. 커피숍 (밤)

빨간 펜 자국이 가득한 인쇄물을 내려다보는 미정.

[조이카드와 함께하는, 가을 여행] 스무 장 정도 되는 팸플릿 작업 중.

(내용: 조이카드와 함께하는, 호텔 가을 패키지. 각 호텔 사진. 제휴 사항이 열 페이지 정도. 조이카드와 함께하는, 가을 풍미 기행. 지도와 지역별 제휴 음식점 표시. 각 음식점별로 사진과 제휴 행사가 열 페이지 정도.)

최 팀장은, 첫 장부터 타이틀을 상단으로 여기까지 올리라고 선 표시하고, 폰트 더 키우고, 아래에 쓰인 회사명은 더 아래로 내리게. 페이지를 넘기면, 레이아웃 변경. 사진 배치 변경. '컬러 조합에 신경 쫌!!!'이라고 잔소리까지 글로 써놨고. 보기에 전혀 무리가 없는, 깔끔한 원안에 덧칠한 느낌으로 펜으로 찍찍 쓴.

미정은 터지려는 눈물을 슥슥 닦고… 차분히 가만히 있다가…

서서히 얼굴이 풀어지면서 부드러워진다.

설레고 수줍어하는 얼굴.

책상 위를 단정하게 손보고.

맥북을 여는 손놀림이 사랑스럽다.

맞은편에 빈 의자가 있는 2인용 테이블.

맞은편 의자에 누군가 앉아 있는 것처럼 미소로 거기를 봤다가…

미정 (E) 당신과 함께 여기 앉아서 일한다고 생각하면, 이런 그지 같은 일도 아름다운 일이 돼요. 견딜 만한 일이 돼요. / 연기하는 거예요. 사랑받는 여자인 척. 부족한 게 하나도 없는 여자인 척. 난 지금 누군가를 사랑하고, 누군가의 지지를 받고, 그래서 편안

한 상태라고 상상하고 싶어요. 난 벌써 당신과 행복한 그 시간을 살고 있다… 그렇게 생각하고 싶어요. / 당신 없이 있던 시간에 지치고 힘들었던 것보단, 당신을 생각하면서 힘을 냈다는 게, 더 기특하지 않나요?

그때 창밖으로 한수진과 김지희를 포함한 여직원 서너 명과 또래 남직원 두어 명(민호식 포함)이 웃으며 떠드는 모습을 본다. 세련된 차림새로 상냥하고 싱그럽게 재잘대는 무리. 을지로 가는 중인 듯.
덤덤히 그들을 보는 미정.

[INS. 사무실 일각 (낮) - 회상]
칸막이 아래 의자에 미정이 앉아서 커피 마시며 핸드폰 보고 있는데, 한수진 무리와 남직원(민호식)들이 오며 얘기

수진　미정이 소개팅시켜 줄 만한 남자 좀 알아보라니까요.
미정　!
호식　제 주변엔 딱히… (웃으며 도리질)
수진　여자들이 봤을 땐 미정이 진짜 이쁜데. 착하고. 남친 없는 게 이해가 안 가.
호식　이쁘죠. 이뻐요. 눈 코 입 하나하나 뜯어보면 이쁜데…
수진　근데?
호식　전체적으로 평범하잖아요. 매력이 없달까?
미정　…!!

47. 도심 일각 (밤)

표정 하나 없는 얼굴로 (역으로) 걸어가는 미정.

그런 미정의 모습 위로

미정 (E) 서울에 살았으면, 우리 달랐어?

창희 (E) 달랐어!

[INS. 카페 (밤) - 회상. 그날 카페에서 미정은 거기에 대고 말했다.]

미정 난 어디 사나, 똑같았을 것 같은데. 어디 사나, 이랬을 것 같애.

그날, 쓸쓸하고 잠잠한 미소에 바람이 살랑.

48. 달리는 전철 안 (밤)

무표정한 얼굴로 서 있는 미정.

미정 (E) 아무 일도 일어나지 않고.

아무도 날 좋아하지 않고.

긴긴 시간, 이렇게 보내다간 말라 죽을 것 같아서…

(심호흡하는 모습 위로) 당신을 생각해 낸 거예요. 언젠가는 만나게 될 당신.

적어도 당신한테 난, 그렇게 평범하지만은 않겠죠.

49. 환승역 지하도 (밤)

사람들 틈바구니를 무뚝뚝한 얼굴로 걸어가는 미정의 모습에

미정 (E) 누군지도 모르는 당신.

어디에 있는지도 모르고, 만나지지도 않는 당신.

50. 환승역 플랫폼 (밤)

갈아탈 전철 플랫폼에 서 있다. 문득 플랫폼에 서 있는 인파를 보며

미정 (E) 당신, 누구일까요?

나 평범하지 않다고, 사랑스럽다고 말해줄 남자 있으려나, 나타나려나, 그런 심정으로 멀멀하게 보는. 그러다가 시선을 거둔다.

51. 편의점 (밤)

창희는 계산대 안으로 들어가서 컴퓨터 보면서 작업하는데, 점주

(60대, 남)가 신선 식품 코너에서 도시락을 들고

점주　폐기 나왔는데 하나 먹을래?

52.　편의점 앞 (밤)

창희와 점주가 건물 턱에 쪼그려 앉아 먹는다.

점주는 폐기 도시락을 안주 삼아 술을 마시고.

창희는 도시락에 얹힌 예쁜 계란 프라이를 보다가 노른자를 떠내고

창희　서울 드실래요? 전 서울이 별로라.

점주　…?

창희　(점주의 도시락에 계란 노른자를 얹는)

점주　무슨 말인지 묻기도 귀찮다. (인생사에 지친. 긴 바지를 무릎까지 걷어 올리고)

창희　본사에서 18일에 물건 빼간다니까 그때까지 잠가두세요.

점주　(건성) 어떻게 잠그는지 몰라.

창희　(보면)

점주　내가 24시간 영업을 10년을 했는데, 문을 잠가봤겠냐?

창희　(아… 그러다가) 화장실은 어떻게 가셨어요?

점주　자전거에 감는 거 대충 감고 갔다 왔지.

창희　(먹기만)

점주　결혼할 때 꼭 연락해. 내가 너 축의금 오-십만 원 한다.

창희 … (고맙고)

점주 (협박. 당부) 진짜 꼭 해. 진짜.

창희 네.

점주 …내가 가게 접는다고 너하고 관계까지 접진 않는다.

창희 … (진짜 고맙고)

점주 어떻게… 내년엔 결혼하냐?

창희 … (해맑게 웃어 보이는)

점주 … (느낌이 이상한) 왜?

창희 … (그냥 먹는다)

53. 서울 시내 술집 (밤)

기정은 원희에게 썰을 풀고 있다.

기정 팔자가 뭐냐? 심뽀래. 그럼 심뽀가 뭐냐? 내가 심뽀가 잠깐, 아주 잠깐 좋을 때도 있어. 월급 들어왔을 때. 딱 하루. 그땐 내가 좀 괜찮아. 돈 있으면 심뽀도 좋아진다. 사랑하면 착해진다는 말, 괜히 있는 말 아니다. 남자든, 돈이든, 뭐가 있으면 심뽀는 자동으로 좋아져. 근데. 내가 남자가 있니, 돈이 있니? 아무것도 없는데. 내가 어디서 힘이 솟니? 어떻게 심뽀가 좋을 수 있냐고? …머리하면 좀 나아질까 했다가… 기분만 더 잡치고… (지친다)

컷 튀면, 기정이 지쳐서 가방 챙기며

기정 나 더 이상은 못 마셔. 너무 힘들어. 오늘은 내 꼬라지가 맘에 안 들어서… 더 힘들어. (일어나며) 얼른 가서 누울래.

54. 달리는 전철 (밤)

지상으로 달리고 있는 전철. 지쳐서 앉아 가는 기정.

55. 당미역. 플랫폼 (밤)

기정이 전철에서 내려 플랫폼을 걸어가는데, 저쪽에서 창희가 내리고. 서로 아는 척도 안 하고 계단을 오르고.

56. 동네 일각 (밤)

마을버스가 끊긴 듯 걸어가는 두 사람. 남남처럼 거리를 두고 뚝 떨어져 걸어가는. 가는 길에 구씨가 제집 앞에 가만히 앉아 있는 게 보인다. 술을 마시고 있는지 어쩌는지…

57. 미정 회사. 로비 (다음 날, 낮)

미정이 로비에 들어서 엘리베이터 쪽으로 가는데 진동으로 울리는 핸드폰. 엘리베이터 앞에서 핸드폰을 보는데, 문자를 보고는 미동도 안 하고 가만. 사람들이 엘리베이터에 오르는데도 핸드폰만 보며 가만.

58. 은행 (낮)

미정은 직원(40대, 여)과 눈도 마주치지 않고 암담함에 휑한 얼굴로 있고, 직원은 미정이 안됐다 싶어 낮고 친절한 목소리로

직원 신용대출은 (이자) 연체가 5일 넘어가면 카드도 정지되고 문제가 복잡해져요. 이래서 함부로 신용대출받아서 빌려주는 거 아닌데.

미정 …

직원 잔금이 얼마 남았는진 아시죠?

휑한 미정의 얼굴 위로

직원 천 548만 4천 원을, 매달 150만 원 정도씩 상환해야 되는데…
미정은 떨리는 가슴을 어떻게 해야 될지 모르겠고.
직원도 더 이상 뭐라 말을 못 하겠다.

59. 집. 거실과 주방 (밤)

혜숙은 모기 채를 들고 모기를 찾아 사방을 둘러보며 조용히 왔다 갔다… 창희는 TV를 보며 뜯어 먹은 옥수숫대가 수북하고… 개수대에서 덤덤히 움직이는 미정의 얼굴 위로

직원 (E) 조만간 집으로 우편물이 발송될 거예요.

미정은 혜숙을 등진 채로 핸드폰을 열어 보는데, [은행에서 연락 왔어. 대출받은 거 연체되고 있다고. / 어떻게 된 건지 전화 줘.] 여전히 읽지 않아 숫자 1이 떠 있고. 핸드폰을 접고… 그때 기정이 지쳐 퇴근해 오고.

기정 다녀왔습니다.

혜숙 저녁은?

기정 먹었어요.

혜숙 모기 들어와. 얼른 (현관문 혹은 모기장) 닫어.

기정이 들어와 방으로 가고. 미정은 식탁에 앉아 먹으면서 무심히 멀리 있는 TV를 보고… 혜숙은 여전히 모기를 잡으러 왔다 갔다…

60. 두환 카페 앞 (다음 날, 낮)

창희는 카페 마당에 불 피울 준비를 하고, 두환은 카페 2층(살림집)에

서 집게며 그릇들을 챙겨 내려오는데, 차 한 대가 와서 주차하고. 그쪽을 보는 창희와 두환. 정훈(석정훈)은 차에서 맥주 봉지를 들고 내리고.

두환 웬일이냐? 주말에 여길 다 오고. 영양가 있는 약속이 없나 부다?

정훈은 '븅신' 하는 표정으로 무시하고, 아이스박스를 열어 맥주를 넣고 그중에 하나를 따 벌컥벌컥 마신다.

창희 너만 마시냐 임마!

61. 두환 카페 앞 (밤)

아직 초반이라 서서 굽고 마시는 중. 기정도 열심히 고기를 굽고. 창희는 미정이 들고 있는 접시에 익은 고기를 잘라 얹어주고. 미정은 접시에 고기가 얼추 차면 대화 중간에 집 쪽으로

정훈 꽝민이 때문에 돌아버린다… 학교 때려칠까 봐 진짜…

기정 넌 선생이 돼갖고 애들 욕하고 싶냐. 쪽팔리게 어른이…

정훈 누나도 맨날 직장 동료 욕하잖아요.

기정 동료니까!

정훈 나는 애들이 동료예요. 누나네 그 누구냐, 맨날 욕하는 그 여직원, 이빨 하나하나에도 못됐음 못됐음 못됐음이라고 써 있다는

그 여직원이 나한텐 꽝민인 거예요. 하루 왼종일 꽝민이랑 한 교실에 붙어 있는 게 얼마나 힘든 줄 알아요?

기정　너 애들 편애하니?

정훈　네. 무지요. 누나는 편애 안 해요?

기정　난. 절대 편애 안 해. 난. 다- 증오해.

정훈　어후…

기정　좋아하는 인간이 하-나도 없어.

정훈　어떡할라고 그래요, 누나. 그니까 맨날 힘들죠. 맨날 늙고.

기정　내가 장담하는데, 꽝민이 걔, 내가 보면 아-무 문제 없는 애일 거야. 백 퍼. 니가 문젠 거야.

정훈　저도요 장담하는데요, 그 이빨 하나하나에도 못됐음 못됐음이라고 써 있다는 후배요, 멀쩡할 거예요. 누나 눈에만 그러지. (억울하고 열받아 훅 마시고)

기정　그만하자. 이러다 정든다.

정훈　(펄쩍) 누구랑요? 어후…

62.　집. 마당 (밤)

평상에는 제호, 혜숙, 구씨 셋이 밥 먹고 있는데, 미정이 구운 고기 접시를 가져오자

혜숙　그만 갖고 와. 됐어.

미정은 반쯤 비워진 고기 접시 옆에 접시를 놓고 돌아서고. 확실히 구씨가 어려운 게 느껴지는. 구씨도 미정이 어렵고. 제호가 구씨의 잔에 술을 따라 준다. 구씨는 두 손으로 받아 고개 돌려 마시고.

63. 두환 카페 앞 (밤)

(시간 경과) 더우니까 고기 굽던 불과는 떨어진 자리에, 얼추 취한 듯, 의자며 바닥이며 여기저기 앉아 있다. 정훈은 입 다물고 흐으응 좋아라 하는 표정.

창희 표정 좀 숨겨라 임마. 나 헤어진 게 그렇게 고소하냐? 내가 혼자 됐다고 너랑은 안 놀아. 솔직히 말해서 우리가 인구 밀집도 떨어지는 이런 시골에 살았으니까 친구 한 거지, 쌔고 쌘 게 또래인 도시에 살았으면 너랑 나랑 친구 안 했어. 반경 10키로 이내에 또래를 쓸어 모아도 열댓 명이 안 되는 이런 시골에 살았으니까 어쩔 수 없이 같이 논 거지. 시골은 이게 문제야. 나이만 비슷하면 다 친구야. 나 어려서 여자애 하나 껴서 넷이 놀았다고 하면, 뭐 되게 죽이 맞았나 부다 그래. 그냥 네 명이 전분 거야. 동네에. (대뜸 미정에게) 앤 또래 하나도 없어서 개똥이랑 놀았잖아. 동네 바보랑.

미정은 웃는 표정이나 기분은 별로. 바보랑 놀던 볼품없던 어린 시절. 볼품없는 나. 심란한 마음을 누르고, 그들의 왁자한 분위기에 미소로 앉아 있다.

두환 개똥이 개똥이 그러지 마라. 마흔이 넘었는데.

정훈 마흔이 뭐냐. 쉰 다 됐을 거다.

창희 이런 시골에선 친구도 식구랑 같은 거야. 식구를 가려 만나? 그냥 태어나니까 식구래. 그냥 태어나니까 친구래. 옆집에 애 하나 있대. 학교에선 바로 옆에 앉은 짝도 맘에 안 들면 딴 애랑 놀면 돼. 동네 친구, 이건 답 없어. 돌아버려.

정훈 야. 나도 돌아버려. 나도 너 맘에 들어서 친구 한 거 아냐.

기정 (뜬금없이) 난, 조선시대가 맞았어.

기정은 취기에 휑한 얼굴. 무리는 '뭐래?' 하는 시선으로 보고.

기정 '오늘부터 저 사람이 니 짝이야' 그럼, '넵. 오늘부터 열렬히 사랑하겠습니다' 그러고 그냥 살아도… 잘 살았을 것 같애. …사람 고르고 선택하는 이 시대가, 난 더 버거워.

미정 … (무슨 말인지 알겠는)

두환 난 맨날 까여도 이 시대가 좋아. 조선시대에 태어났으면 난 백퍼 쌍놈이거든.

정훈 지금도 쌍놈이야.

두환 (우씨)

휑한 기정의 얼굴 위로 찌렁찌렁한 귀뚜라미 소리.

기정 귀뚜라미가 울 땐… 24도래. 안단다. 조금 있으면 겨울인 거. 그래서 간절히 구애 중인 거란다. 겨울을 혼자 나지 않으려고.

그러다가 갑자기 전투적으로 변하는 기정.

기정 하물며 이런 미물도 사랑하는데, 근데 인간이, 인간이, 당연한 거 아니니? 미물도 알아. 짝 없이 겨울을 나는 게 어떤 건지. 재도 저렇게 구슬프게 우는데, 겨울이 온다고, 춥다고, 혼자 두지 말아 달라고 저렇게 우는데! (결론) 우리도 하자!

창희 뭔 소리 하나 했다 씨이. / 고양이도 하고 벌레도 한다고 인간도 해야 돼? 개도 길바닥에 똥 눠. 그럼 인간도 길바닥에 똥 눠야 돼?

기정 하지 마 새꺄 그럼! 하지 마! 넌 하지 마! 하면 죽어. (미정에게) 하자!

미정 (미소만)

기정 하자고! 응?

미정 (미소만)

기정 난 할래. 난 할 거야. 아무나 사랑할 거야.

미정 진짜 아무나?

기정 진짜 아무나. 왜 아무나 사랑 못 해? 맨날 가리고 가려서 여태 이 꼴이니? 고르다 고르다 똥 고른다고, 똥도 못 골라보고. 아무나 사랑해도 돼. 아무나 사랑할 거야.

창희 니들 내일부터 (염기정) 눈에 띄지 마라.

정훈 (기겁) 미친…

64.　집. 마당 (밤)

다 먹고 일어나는 구씨.

구씨　잘 먹었습니다.

혜숙　고생했어요. 쉬어요.

제호　들어가 쉬어.

구씨　(꾸벅 인사하고 가고)

혜숙　(구씨의 뒤꽁무니를 보다가) 술은 적당히 하고.

구씨　(애매하게 뒤돌아 인사하고 가는. 안 마실 것 같지는 않은)

65.　동네 일각. 카페 앞 (밤)

무리가 왁자하게 떠들다가 저 멀리, 구씨가 제집 쪽으로 가는 게 보이자,

창희　저기 아무나 지나간다!

두환　피해요! 염기정 눈에 띄지 마요! (엎드리며) 수그려!

두환이 오바해서 연기하고, 낄낄대는 무리.

구씨는 들리지 않는 사람처럼 곧장 제집 쪽으로.

무리 틈에서 같이 웃지만 구씨에게 시선이 가는 미정.

잠시 후, 얼굴에 웃음기가 잦아들면서 가만히 생각에 빠지는 듯한 미정.

문득 심호흡을 하며 구씨네 쪽을 본다!

66. 동네 일각 (다음 날, 아침)

미정은 출근길에 마을버스 정류장에서 가만히 서 있다.

멀리서 오는 마을버스를 보고는 시선 내리고 또 가만히.

그리고 휙 돌아서 간다.

버스도 오는데 어디로 가는 걸까.

보면, 구씨네로 간다.

67. 구씨네 앞 (아침)

구씨가 집에서 나오다가 멈칫.

미정이 서 있다.

구씨는 이 여자가 이 아침에 웬일인가 싶은데.

미정 혹시 우편물 좀 받아줄 수 있나 해서요. 집에서 받으면 안 되는 게 있어서.

구씨 !

그렇게 마주 서 있는 두 사람.

68. 동네 일각 (아침)

미정은 구씨네 쪽에서 나와서 다시 마을버스 정류장 쪽으로 가고.

이어서 구씨가 나와 아버지 공장 쪽으로 가고.

그렇게 등지고 걸어가는 두 사람.

저 멀리 마을버스가 오자 미정은 뛰기 시작하고.

마을버스에 오른다.

69. 달리는 마을버스 안 (아침)

그렇게 마을버스에 실려 가는 미정의 모습에서.

2

EPISODE

"모든 관계가 노동이에요. 눈 뜨고 있는 모든 시간이 노동이에요."

1. 동네 풍경 (낮)

매미 소리. 태양은 뜨겁고. 바람도 없는지 나뭇잎도 움직이지 않는다. 정지 화면 같은 마을 풍경 속, 한쪽에 자리 잡은 공장.

2. 공장 (낮)

탈탈탈 도는 낡은 선풍기. 윙 돌아가는 기계에 신중하게 목재를 재단하는 아버지 제호. 재단된 목재에 구멍을 펑펑 뚫는 엄마 혜숙. 모서리를 둘러치는 작업을 하는 구씨. 땀과 기름으로 번들거리는 얼굴로 말없이 각자의 기계 앞에서 일하는 세 사람. 주변엔 서랍장들이 쌓여 있고, 완제품에 가까워지는 싱크대도 보인다.

3. 공장 앞 (낮)

제호와 구씨가 고급 싱크대를 설치 기사의 용달에 싣고. 기사는 용달 위에 올라가 자리를 잡는다.

4. 공장 (낮)

낡은 냉장고에서 얼음 통을 꺼내 양푼에 대고 비틀어 와장창 쏟고, 거기에 페트병에 든 믹스커피를 콸콸콸 붓는 혜숙.

컷 튀면, 사발에 얼음 커피를 들이마시는 제호와 구씨. 지친 듯, 숨을 몰아쉬는 가슴팍만 천천히 움직이고. 구씨는 문간에 기대어 서서 밖의 시골 풍경을 본다. 그렇게 쉬는 듯 풍경을 보는데, 마침 저 멀리 오토바이를 타고 오는 우체부가 보인다.

구씨　!

구씨는 커피 그릇을 책상에 놓고

구씨　잘 마셨습니다.

혜숙　수고했어요. 씻고 와 밥 먹어요.

구씨가 나가면, 제호는 벽에 붙어 있는 월간계획표 칠판에 작대기를 긋는다. 구씨가 일한 시간을 표시하는 것. 그리고 목에 건 젖은 수건으로 얼굴을 닦는다.

5. 동네 일각 (낮)

구씨가 공장에서 집 쪽으로 가는데, 오토바이가 동네로 들어서고

6. 구씨네 앞 (낮)

먼저 도착한 우체부가 우편물을 꽂으려다가 우편물을 보고는 문득

우체부 어? 염미정은 여기 아닌데.

구씨 (낚아채듯 가져가며) 여기 맞아요.

우체부 (?, 미정의 다른 우편물을 보고는) 이건 또 저기(미정이네)네. …여기예요?

구씨 (미정이네 가리키며) 저기.

우체부는 이게 무슨 상황인가 싶은데, 구씨는 무심히 들어가 버리고.

7. 구씨네 (낮)

싱크대 앞에 가만히 서 있는 구씨의 등. 미정의 우편물 봉투를 보고 있다. 내용물을 확인하지 않아도, 은행 발송에 '여신부'라고 적힌 것만 봐도 어떤 상황인지 대충 감 온다. 봉투를 싱크대 상단에 넣고 돌아선다.

8. 미정 회사 앞 (낮)

우르르 나오는 동료들 틈바구니에서 함께 나오는 미정. 모두 숨 막히

는 열기에 헉 놀라는.

수진　나 태어나서 40도는 처음이야. 어떻게 지구가 이럴 수 있지?

9.　도심 일각 (낮)

역으로 가는 듯, 무리는 앞서가고 미정과 백보람이 뒤에서 걸어가는데,

보람　얼른 겨울 왔으면 좋겠다.

미정　겨울엔 또 그럴걸. '얼른 여름 왔으면 좋겠다.'

보람　(맞는 말)

미정　지금 기분 잘 기억해 뒀다가, 겨울에, 추울 때 써먹자. 잘… 충전해 뒀다가 겨울에… (충전하는 듯 싱긋)

보람　그럼 겨울 기억을 지금 써먹으면 되잖아요. 추울 때 충전해 둔 기분은 없어요?

미정　(피식)

10.　당미역 앞 (낮)

몇몇 사람들이 역사에서 나오고, 미정도 거기에서 나온다. 가까이 있는 마을버스 정류장 쪽으로 가는데, 이제 막 마을버스가 떠나는 게 보

이고. 체념한 듯, 정류장을 지나쳐 간다. 걸어가려는 듯.

11. 역사 근처. 편의점 (낮)

계산대에 소주 두 병을 올려놓는 구씨. 문득 시선에 저만치 걸어가는 미정이 보이고.

12. 동네 일각 (낮)

미정은 마을 초입에 들어섰고, 부지런히 따라붙은 구씨가 가까워지고 있다. 미정은 인기척을 느끼고 힐끗 돌아보고는 그냥 가고.

구씨 우편물 왔는데.

미정 ··이따 들를게요.

구씨는 획 옆으로 꺾어져 제집 쪽으로. 무슨 접선하는 것처럼 짧고 어색한 두 사람의 대화. 왜 그런가 하니, 저 멀리 혜숙이 이쪽을 보고 있다. 평상의 밥상에서. 제호와 구씨가 먹고 일어난 밥상인 듯 빈 그릇들과 너저분한 상. 혜숙은 수발들고 뒤늦게 먹던 끝인 듯, 불편한 한쪽 다리를 쭉 뻗고. 압력 밥솥 끌어안고 긁어 먹다가 미정을 본다. 제호는 집 앞 텃밭 농작물을 따고 있다.

13. 집. 마당 (낮)

마당으로 들어서는 미정.

미정 다녀왔습니다.

혜숙 구씨가 뭐래?

미정 …

혜숙 (신기한) 웬일로 먼저 말을 다 건대… 뭐래?

미정 (들어가며) 그릇 가져가라고. 이따 가져간다고 했어.

혜숙 …갖고 오라고 해도 맨날 깜빡. (옥수수를 뜯기 시작하며) 상 있을 때 먹고 씻어.

14. 기정 회사. 사무실 (낮)

기정이 책상에서 가방을 챙기는데, 남직원(30대 초반)이 가방을 메고서

남직원 저희 동네 진짜 괜찮아요. 회사랑도 가깝고, 주변 환경도 괜찮고. 시간 나실 때 언제 한번 저랑 같이 돌아봐요.

기정 (어색한 미소) 그래.

남직원 편하신 날 잡아서 연락 주세요. 전 언제든 오케입니다.

기정 그래. 들어가.

남직원 내일 뵙겠습니다!

남직원이 가면, 기정은 무뚝뚝한 얼굴로 가방을 챙기고.

(*기정은 식구들과 친구들 앞에서는 원색적이고 거칠게 분노를 표출하지만, 직장에서는 표정을 감추며 조근조근 말하고 사회적인 태도를 취하는 편이다.)

15. 집 외경 (밤)

귀뚜라미 소리가 쟁쟁거리는 한여름 밤.

16. 집. 거실과 주방 (밤)

창희와 두환이 거실 바닥에 마주 앉아 늦은 저녁을 먹고 있고, 미정은 주방에 널린 설거짓거리를 정리해 개수대에 넣는데, 혜숙이 찐 옥수수가 수북이 담긴 쟁반에 번데기 그릇을 놓으며

혜숙 깡소주만 마시지 말고 안주도 좀 먹으라고 해.

미정이 쟁반을 들고 나가는 타이밍에 기정이 지쳐 들어오고.

기정 다녀왔습니다.

두환 오늘 하루도 수고하셨습니다. (생긴 것과 달리 상냥한)

혜숙 밥은?

기정은 철퍼덕 앉아서 가만. 혜숙이 알아서 상에 기정의 밥과 국을 차리는데, 기정은 밥상 가까이 가지도 못한다.

기정　밝을 때 퇴근했는데 밤이야. 저녁이 없어.
두환　얼른 와 앉아요. 먹다 보면 힘 나요. 오이냉국 세 그릇짼니다.

그래도 움직이지 못하고. 잠시 후, 앉은 채로 힘들게 밥상 앞으로 가는 기정.

17.　구씨네 앞 (밤)

테이블에 가만히 앉아 먼 산 보는 구씨. 술과 잔은 앞에 있는데 마시는 동작은 별로 없고, 멍하니 산만 보고 있는. 그렇게 있다가 발소리에 문득 뒤를 돌아보면 미정이 쟁반 들고 무뚝뚝하게 오고 있다. 구씨가 일어나 집으로 들어간다. 문을 열어둔 채. 미정이 따라 들어가고.

18.　구씨네 (밤)

미정은 쟁반을 적당한 곳에 두고, 티 안 나게 찬찬히 주위를 둘러본다. 처음으로 들어와 보는 구씨의 공간. 살림살이가 별로 없다. 구씨가 싱크대에서 꺼낸 미정의 우편물을 미정의 근처에 놓고.

미정 …고마워요.

그 자리에서 뜯어본다. 가만히 본다. 익히 알고 있는 심란한 글귀들. 구씨는 관심 없는 듯 돌아서 있지만, 신경은 그쪽으로 가 있는 듯. 미정은 서류를 다시 봉투에 넣고는 그대로 놓으며

미정 여기다 좀 둘게요.

구씨 (보면)

미정 집엔, 둘 데가 없어서.

구씨 !

미정 (민망한) 누가 볼까 봐…

구씨 ! (우편물을 다시 챙겨 싱크대 선반에 넣고 나가려는데)

미정 (얼른, 어렵게) 은행에서 등본상 주소가 아니면 주소 변경 안 해준다고 해서, 여기로 주소 옮겨놨어요. …죄송해요. 급해서 물어보지도 않고.

구씨는 상관없다는 듯 나가고. 혼자 남은 미정은 무참함을 누르고, 냄비며 빈 그릇들을 챙기기 시작한다.

19. 구씨네 앞 (밤)

구씨는 술잔을 기울이고. 미정이 부은 얼굴로 빈 그릇을 챙겨 구씨네서 나간다. 아는 체도, 인사도 없이.

20. 집. 거실과 주방 (밤)

밥 먹다가 울분을 토해내는 기정.

기정 근데 왜 지네 동네로 이사 오래? 애인도 있는 놈이!

창희 동네가 좋다고, 동네가! 니가 좋다는 게 아니고!

기정 그런 말을 아무한테나 해? 애인도 있는 놈이?

창희 애인 있는 놈은 자기네 동네 좋다는 말도 못하냐?

기정 그냥 좋다는 게 아니고, 이사 오래잖아! 자기네 동네로! 가까이 살자, 한동네 살자, 그런 말을 아무한테나 해?

창희는 돌겠고. 안방에 있는 혜숙도 돌겠고. 제호는 TV만 보고 있고. 두환은 둘 사이에서 애매하게 웃으며 밥만 먹고.

창희 (혼잣말처럼) 좋아했네. 고새 좋아했어.

기정 ! (무안해하다가, 욱) 자기네 동네로 이사 오라니까! 그전엔 관심도 없었어! 전혀!

창희는 포기다, 그냥 먹자 싶은데

기정 (다시 먹으며 궁시렁) 그놈… 분명히 흘리는 놈이야. 관계에서 질질 흘려가면서 양아치 짓 하는 놈들은 다 멸종돼야 돼. 나처럼 다이렉트로, 싫으면 싫다, 좋으면 좋다, 후다닥 까고!

창희 (버럭) 무슨 태권도 대련하냐? 후다닥 까게?

그때 안방 문이 쿵 닫힌다. 더 이상 못 듣겠다는 듯. 그때 미정이 빈 그릇을 들고 들어오고. 두환은 일어나 안방을 향해 꾸벅

두환 잘 먹었습니다.

혜숙 (앉은 채로 방문 열고) 그래. 들어가. (도로 문을 닫으며 기정과 창희를 흘겨본다. 속 터지는 것들.)

미정은 챙겨 온 그릇들을 정리하고. 말없이 먹는 기정과 창희.

21. 집. 자매 방 (밤)

미정은 전 남친에게 보낸 톡을 보고 있다. [연체가 5일 넘어가면 신용카드 정지된다고 해서, 일단 이번 달 건 내가 막았어. 연락 줘.]라고 쓴 글은 여전히 읽지 않음으로 떠 있고. 그 위에 많은 글도 읽지 않음으로 남아 있다.
핸드폰을 내려놓고. 무얼 해야 될까… 괜히 눈으로 방을 한 바퀴 훑는다.

22. 구씨네 앞 (밤)

구씨는 가만히 먼 산만 보고 있고.

23. 미정 회사 외경 (낮)

24. 미정 회사. 사무실 (낮)

컴퓨터 화면에 몰입해 있는 미정. 그때 흐억! 하는 소리에 옆을 보면, 지희가 좋아서 비명을 지르다가 입을 막은 듯. 지희가 컴퓨터 화면을 손가락으로 가리키는데, 회사 홈페이지다.
[INS. 컴퓨터 화면에 7월 10일, 김지희 님의 친밥조 테이블은 ⑯번입니다] 라고 떠 있고. 그 아래, 세 명의 이름이 있다. 부서와 직급도 적혀 있고.

지희　오늘 친밥조에, (모니터에 이름 가리키며) 민호식 있어. (좋아라)

미정은 빙긋이 웃고 자신의 컴퓨터로 들어가 확인.
[INS. 컴퓨터 화면: 7월 10일, 염미정 님의 친밥조 테이블은 ⑧번입니다]
그 아래 명단을 보는 미정의 시선.

미정　!!

가만히 보는 얼굴.

25.　미정 회사. 구내식당 (낮)

4인용 테이블 가운데 번호가 있고, 앉는 사람들의 이름이 쓰여 있다. 지희의 테이블엔 민호식이 있고. 맘에 들어 하는 남자와 즐거운 시간. 모든 테이블이 행복하게 재잘대는 얼굴들. 그런데 미정은 조용히 먹기만. 미정의 테이블엔 아무 소리가 없다. 왜 그런가 하니, 상민과 태훈과 한 테이블. 두 사람은 말없이 먹기만. 여직원(20대)은 생글거리는 눈으로 짱 보는 느낌. 미정도 말 없는 테이블이 불편한데… 상민은 아무 소리 없이 먹다가…

상민　이거… 무작위 추첨 아닌 거 같애.

여직원　?

미/태　(무슨 뜻인지 알고)

상민　동호회 안 하는 사람들만 모아놓은 거잖아.

여직원　저 하는데?

상민　해?

여직원　네.

상민은 그럼 아닌가? 접는 분위기. 다시 조용히 먹고. 여직원은 잘못 걸렸다 싶어 살짝 떨떠름하지만, 그래도 대화를 하려고 시도하고

여직원　동호회 아무것도 안 하세요?

상민　…음.

여직원　(눈치 보듯 눈 굴리며 태훈과 미정을 보고는) 두 분도?

미정 …네.

태훈은 대답이 없고. 또 침묵.

여직원 …왜 안 하세요?

미정 …(두 사람이 말이 없자) 전, 집이 멀어서요.

여직원 어딘데요?

미정 산포시… 수원 근처요.

여직원 (모르지만) 아.

또 침묵. 여직원은 미소 지으며 눈치를 보다가

여직원 부장님은 왜…?

상민 … (혼잣말처럼) 누가 반긴다고 그런 델 나가?

셋 …!

26. 회사 근처. 커피숍 (낮)

여직원은 어색하던 미소도 없고, 텄다 싶은지 대놓고 핸드폰을 한다. 태훈과 미정은 계산대 앞 메뉴판을 보는 상민의 등 뒤에서 같이 메뉴를 보는 예의는 갖추는데, 여직원은 계속 핸드폰만 하고 있고. 태훈과 미정이 메뉴를 말하고…

상민 (여직원을 돌아보며) **님은 뭐…

여직원 (쳐다도 안 보고) 아아요.

상민은 살짝 기분이 상한다. 태훈과 미정은 민망하고. 그때, 여직원이 어딘가를 보고는 환한 얼굴이 되어 신나서 그쪽으로.

컷 튀면, 상민, 태훈, 미정 셋이 나란히 앉아서 뻘쭘하게 음료를 마시고 있고. 여직원은 저쪽에서 무리와 신나게 재잘재잘 하하하… 그러다가 순간 별로인 얼굴로 이쪽을 힐끗 본다. '오늘 같이 밥 먹은 사람들 어땠어?' 하는 질문에 이쪽을 본 듯. 셋은 괜히 죄지은 얼굴이 되고.

27. 미정 회사. 엘리베이터 안 (낮)

상민은 참고 있지만 분한 얼굴. 태훈과 미정은 그런 긴장을 느끼고 가만. 어디서도 환영받지 못하는 사람들.

상민 밥 먹는 시간까지 사람 부담스럽게… 내가 회사 전 직원 다 알아야 돼?

미/태 …

상민 다른 부서 사람들이랑 친하게 지내서 뭐하려고? 내 부서 인간들이랑도 힘든 판에.

미/태 …

상민　학교 때 오락 부장들만 모아놨나… (괘씸) 동호회 드나 봐라.

미/태　…

컷 튀면, 상민이 휙 내리고.

미/태　(뒤통수에 대고) 안녕히 가세요.

단 둘이 올라가는 중. 어색. 조용.

미정　…그날, 죄송했다고, 언니가 전해달래요.

태훈　…! (그때가 떠오르고) 친언니예요?

미정　…네.

태훈　… (아!) 안 닮았네요.

미정　…

28. 기정 회사. 사무실 (낮)

속속 도착한 조사원들이 출근 명부에 이름을 적고 부스(전화조사실) 안으로 들어가고, 부스 안에는 이미 조사원들이 꽤 자리를 잡고 앉아 있다. 남직원(14씬)은 리서치 관련 인쇄물 뭉치를 안고 와 기정에게 한 부 먼저 건네고, 부스 안의 조사원들에게 돌리고… 바삐 돌아가는 상황.

기정은 서서 인쇄물을 보다가, 멀리 앉아 있는 이 팀장(30대, 여)을 힐

끗 보고는, 김 이사(40대, 여)에게

기정 긴급 리서치, 이 팀장 순번 아녜요?

김 이사 (낮게) 이따 나중에 얘기해 줄게.

기정은 뭔가 느낌이 오는 얼굴로 김 이사를 보는데, 그때 박진우가 들어오고.

진우 자자. 들어갑시다! 염 팀장님! (부스로 들어가자는 제스처)

진우가 부스로 들어가고, 기정도 그쪽으로.

29. 기정 회사. 부스 (낮)

앞에 나란히 서 있는 박진우와 기정.

진우 어제 유명 정치인께서 '서른다섯이 무슨 청년이냐? 청년은 스물아홉 살까지다!'라고 해서, 시대착오적 발언이다 아니다… 의견이 분분한데요, 아직 저 자신을 청년이라고 생각하는 제 입장에선 이 뭔 귀신 씨나락 까먹는 소린가 싶지만,

중년 여성이 대부분인 조사원들이 피식 웃는데, 기정은 뚱한 얼굴.

진우 실없는 소리였고요, 국민들은 몇 살까지 청년으로 보는 게 직당하다고 생각하는지, 알아보기 위해서 저희가 이렇게 급하게 모이게 됐습니다. 한걸음에 달려와 주신 여러분께 감사드리며… (인쇄물 보며) 주의할 점에 대해서 말씀드리겠습니다.

30. 기정 회사 일각 (낮)

#전화 부스에서는 설문조사 중인 조사원들의 똑같은 말들이 중첩으로 들리고. 유리창 너머에 서 있는 기정과 김 이사가 보인다.

#기정과 김 이사 쪽으로 가면

김 이사 박진우랑 이 팀장… 헤어졌어.

기정 ! (이내) 박진우가 사내 연애가 한두 번인가? 자기랑은 오래 갈 줄 알았나 부지? (하다가) 잘됐네. 여직원들이랑은 다- 사겨서 더 이상 사귈 여자도 없고. 당분간 조용하겠네.

김 이사 (묘한 미소)

기정 (설마)

김 이사 경영지원팀에 새로 들어온 여직원이랑 썸 탄다는 소문 있어.

기정 …! (이내 심드렁하니) 대단하다.

그때 감청 요원이 감청실 문 앞에서 기정에게

요원 37번 조사원, 자꾸 의도를 가지고 질문하는데요. 자료 로스 시켜야 될 것 같은데요.

기정　알았어. 확인해 볼게.

요원　(감청실 안으로 들어가고)

김 이사 모른 척해. (가고)

기정은 어떤 감정에 잠시 가만히 있다가… 이내 감청실로 뚜벅뚜벅. 감청실에서 헤드폰 끼고 요원이 틀어주는 녹음 자료를 듣는 기정.

31. 술집 외경 (밤)

32. 술집 (밤)

기정, 창희, 두환, 정훈 있는데, 기정은 혼자 조용히 취한 상황. 남자 셋이 떠들게 놔두고 이리 봤다가 저리 봤다가 심드렁한 얼굴. 두환은 옷깃을 세우고, 머리에도 뭔가 바른 듯. 잔뜩 힘을 줬으나 촌스러운. 창희는 술잔을 기울이며 그런 두환을 못마땅하게 보고.

창희　그래. 간만에 서울 왔다. …왜? 금목걸이도 하고 오지?

두환　(술을 마시고)

창희　두환아. 오두환. 너 여름에 여자 만나지 마. …쉰내 장난 아냐.

두환　(무안하고. 조용히 '큼' 해보는)

창희　겨울에 만나라 꼭.

정훈 잔인하게… 그런 말을 하냐.

창희 얘 혼자 살어! 얘기 안 해주면 몰라. (두환을 흘기고) 어유…

정훈 (두환에게) 마셔.

창희 너 그 옷 버려라. 한번 쉰내 난 옷은 빨아도 안 없어져. 꼭 버려. 내 눈에 띄면 태워버린다 진짜. …그걸 명품이라고… 여태 못 버리고… 요즘에 누가 그런 걸 명품이라고…

그렇게 옥신대는데, 기정은 술집 벽에 걸린 TV를 보고 있다. 8시 뉴스 화면.

[INS. 기자 멘트: 지자체마다 청년의 기준이 다른데요, 서울시에선 29세까지 청년으로 보지만, 전북·전남은 39세까지, 경북 봉화군은 49세까지 청년으로 보고 있습니다. 과연 몇 세까지 청년으로 보는 것이 적당한가라는 질문에 서울 시민들은…]

기정 (자기 잔을 채우며, 혼잣말하듯) 이해가 안 된다. 이해가 안 돼.

남 셋 (그제야 기정을 보는)

기정 사내 연애 중독도 아니고… 한 회사에서 계속… 딴 데는 여자가 없나…

정훈 우리 박진우 씨, 또 여자 바꼈나 보네. 나, 아는 사람 같애. 하도 들어서.

기정 그놈은 그렇다 쳐. 난 여자들이 더 이해가 안 가. 다 알어. 누구 누구랑 사겼는지. 회사에 그 인간이랑 사겼던 여자들이 줄줄이야. 그런데도 사귀고 싶어? 박진우의 원 오브 뎀으로, 그렇게 하찮은 여자가 되고 싶어? (도리질) 진짜 이해 안 돼…

창희 (답답) 이해 안 해도 돼! 난 니가 이해가 안 돼. 엔조이 되는 사람들끼리 엔조이 하겠다는데, 니가 뭔 상관이냐고. 남 연애사에.

(*이후론 기정만 보이고, 나머지는 이펙트로 들리는 게 어떨까 하는)

창희 뭐가 하찮아? 그럼 나 만났던 여자들은 다 하찮아? 내 입장에서 보면 그 여자들은 내 인생의 원 오브 뎀이야.

기정 …

창희 세상 남녀들이 다 너처럼 남자도 하나, 사랑도 하나, 하나가 아니었어도 하나였던 척, 너밖에 없었던 척, 그래야 돼? / 그들만의 리그야. 니 리그가 아니고. 그니까 그냥 두라고. 놀게. 그 사람들 다 해피해. 즐거워. 남의 시선? 신-경도 안 써. 니가 죽어라 욕해도 신경도 안 쓴다고.

기정 …

창희가 한판 쏟아붓고 술잔을 기울이는데, 창희를 보고만 있던 기정이 순간 욱해서 버럭

기정 왜 나만 건너뗘-?

창희 !!

황당한 세 남자. 기정은 (마치 진우를 보듯) 흔들리지 않는 눈동자로 창희를 보고 있고. 창희는 짠하기도 하고, 속 터지기도 하고, 뭐라고 해야 되나… 황당한 듯 헛웃음만 흘리는데

창희 …미치겄다.

기정 …다- 사귀면서 왜 나만 건너뗘?

창희 …박진우도 취향이라는 게 있겠지.

기정 …내가! 10위 안엔 들어!

창희 …거기 여직원이 몇 명인데? 스무 명은 되냐?

기정 …! 나보다 한참 떨어지는 여자도 사귀면서. 왜 나만 건너뗘?

창희 … (두환 정훈에게) 봤지? 내가 팩트를 날리면 못 들은 척 지 말만 해요. 정치인을 했어야 되는 건데…

기정 …나보다 더 이쁜 여자는 있어도! 나보다 더 매력적인 여자는 없어!

창희 … (포기다. 한숨. 그냥 마시고)

두/정 … (어떻게 해야 될지)

기정 사실이야. 난. 내가. 괜찮아.

남 셋 … (할 말이 없다)

기정 난, 매력 자본이, 어마어마한 여자야.

창희 … (친구들과 건배) 마셔라… 얘들 왜 안 오냐… (잊으려 했으나 안 되고) 내가 진짜 쪽팔리다. 염기정이 누난 게… 진짜… 어우…

두환 난, 누나 이해된다. 기분 나쁠 만해 누나.

기정 (두환 쪽을 보는. '고마워' 하는 눈빛)

정훈 이 타이밍에 정말 미안한데요, 누나…

기정 (정훈 쪽을 보며 기대하는 눈빛)

정훈 그, 왜, 이빨 하나하나에도 못됐음 못됐음이라고 써 있다는 여직원이요,

기정 (불길함…)

정훈 박진우랑 사겼죠?

기정 !

남 셋 …

기정 !

정훈 그럴 것 같앴어. 이빨 이쁘다 그 여자. 백 퍼 이뻐.

기정 …

33. 도심 일각 (밤)

미정은 케이크 상자를 들고 이쪽저쪽을 보며 서 있는데, 그때 전화벨이 울리고

미정 (받고) 어. (눈으로 찾으며) 나 ** 가게 앞에. 언닌 어딘데? (봤다. 손을 들고) 여기.

그쪽에서 핸드폰을 내리며 오는 현아(지현아). 안 좋은 일이 있었는지, 억지로 밝은 얼굴을 만들어내는 듯한 느낌.

현아 늦게 끝났네?

미정 언니 시간에 맞췄어.

둘이 나란히 걷는데, 그때 현아의 핸드폰이 진동으로 울리자 멈춰서

몇 초간 보고는

현아　(낮게) 미친놈…

미정　!

현아　(핸드폰 접고 가는)

미정　왜? 누군데?

현아　아냐. (분위기 바꾸려) 누구누구 왔대?

34. 술집 앞 (밤)

현아와 미정이 들어가면, 출입문 쪽을 보며 "왔다! 여---" 일어나 환호하는 세 남자. "왜 이렇게 늦었어? 오랜만이다." 그런 얘기들.
컷 튀면, 밖에서 보이는 안의 풍경. 생일 축하 노래를 부르고, 현아가 촛불을 불어 끄고. "동네 친구가 좋다. 생일도 챙겨주고." 하는 현아.
왁자한 얘기들. 접시에 나눠 담은 케이크를 주변 테이블에 건네고…

35. 술집 (밤)

(창희는 없고) 현아가 대차게 기정을 잡는다.

현아　남자가 왜 없어요? 이렇게나 많은데. 80점짜리를 찾으니까 없는 거지. 상대가 80점이어도 모자란 20 때문에 남자 족치고, 더 괜찮은 남자 없나 짱 보고… 그러잖아요 언니! 근데 무슨 아무나 사랑한다고. 텄다고 봐. 난 20점짜리도 그 20이 좋아서 사귀는데. 20이 어디야. 좋은 게 20씩!!이나 있는데. 어쩌다 30점짜리 만나면 감사합니다! 40점짜리 만나면 대박!! 자기가 80점이라서 80점짜리 찾는 거면 이핼 해. 언니 몇 점짜린지 솔직히 말해봐요? 내가 오늘 아주 적나라하게 점수 찍어줘요?

기정 야…

옆 테이블에서도 이 테이블을 힐끗힐끗 보고…

현아 자기 자신을 좀 알라고요. 남들 다- 언니를 아는데 왜 언니만 언니를 몰라요?

대놓고 웃진 못하고, 애매하게 술잔만 비우는 두환, 정훈, 미정.

현아 하지도 못할 거. 안 할 거잖아요, 아무나 사랑!

두환 (상냥하게) 그만해라… 언니한테 왜 그르냐…

현아 니들(두환, 정훈)은 기정이 언니 왜 그냥 냅두니? 염미정! 넌 니네 언니 왜 그냥 냅둬? 너도 문제야. 밟아주라고 쫌!

기정 넌 왜 골났니? 왜 골질이야?

현아 …

기정 여태 너 기다렸어. 니 생일이라고.

현아 …

기정 얘들(두환, 정훈) 산포에서 왔어. 너 보겠다고.

현아 …

기정 옛날 동네 친구들 그만 보고 싶은데, 우리가 눈치 없이 챙기니?

현아 …그런 거 아녜요.

기정 근데?

정훈 생일인데 쫌 봐줘요. 오늘 현아 맘대로 하자. 땡깡 부려!

현아 …남자친구랑 헤어질 거예요.

모두 !

현아 (뚱하니 딴 데 본다. 슬픔을 참는 것)

기정 왜?

현아 …

기정 됐다. 궁금하지도 않다. 니가 사겼다 헤어졌다 한두 번이냐.

현아 (가만히 있다가 갑자기 버럭) 그 자식이 침대를 산다잖아요! 사귄지 2년이 넘었는데.

모두 !

옆 테이블의 남자들은 자기들끼리 '그게 왜?' 하는 입 모양과 표정.

현아 침대가 한두 푼이에요? 결혼하면 내가 혼수 해 올 건데 침대를 왜 사? 나랑 결혼할 마음이 없으니까 그런 생각을 못 하는 거지!

그제야 "아…" 하는 옆 테이블의 남자들. 그런데 한 놈이 작게 지들끼리 "돈이 많은 거 아냐?" 하는데, 현아는 아예 그 테이블을 향해 고개를 돌려,

현아　그 인간 돈 없고요, 더블도 아니고 싱글 침대를 산대요, 80만 원짜리 싱글 침대를! 미친 거죠. 평생 혼자 살겠다는 거죠. (돌아서려다가 다시) 마흔셋이에요, 그 남자.

남자들은 눈 내리깔고 조용히 마시고. 현아의 분노를 인정하는 분위기. 미정은 현아를 민망해하기보다는 재밌어하는 느낌.

기정　(의외) 너도 결혼이 하고 싶었니?

현아　그럼요! 프리섹스주의자가 왜 결혼을 못 해요? 프린데, 프리가 뭐는 못 해요. 다 하지.

술잔을 비우고 잠잠해지는 현아.

현아　2년을 사귔단 말예요. 2년을 사귔어도… 결국 난 아니란 거잖아요.

모두　(현아가 안됐고)

기정　그냥 물어봐. 나랑 결혼할 생각 없냐고.

현아　싫어요. 그런 걸 뭘 물어. (술을 마시고)

모두 각자 조용히 술잔을 기울이고. 현아는 허한 마음에 딴 데를 보고. 그러다가 문득 뒤를 돌아본다.

현아　잰 아까부터 누구랑 저러고 있는 거냐?

그 말에 다 같이 그쪽을 보는. 창희가 (흡연실 같은 공간) 유리창 너머에서 핸드폰을 들고 서 있다. 말없이 듣고만 있는 표정이 별로 좋지 않다.

현아 재 요즘 여친이랑 심각하니?

두환 헤어졌는데.

현아 (두환을 보는)

두환 벌써 헤어졌어.

현아 그럼 누구야?

모두 다시 창희를 보는데, 기정이 시선을 거두며

기정 변상미네.

모두 (그게 누구냐는 듯 기정을 보는)

기정 있어. 편의점 점주. / 그런 아줌마 있잖아. 아무 때고 전화해서 자기 얘기 한 시간씩 떠드는. 남편이 어쩌구저쩌구, 아들이 어쩌구저쩌구…

현아 돌아버린다…

안됐다 싶은 시선으로 창희를 돌아보는. 창희는 갇혀 있는 사람처럼 유리창 너머로 술자리인 이쪽을 아련하게 보고 있다.

기정 누가 재 좀 구해줬으면 좋겠다…

현아가 일어나서 창희 쪽으로 가는데 사달 날 것 같은. "야야야야."
부르다가 포기하고. "난 몰라" 하는 분위기. 술자리에서 보이는 창희
쪽 풍경. 현아가 통화하고 있는 창희에게 악악대는데, 창희는 그만하
라는 시늉만 할 뿐 적극적으로 피하지 않는다. 멀게 들리는 현아의 목
소리. "헤어져! 어떻게 여자친구를 한 시간 동안 냅두고 딴 여자랑 통
화를 할 수 있어. 그냥 그 여자랑 사겨!"
미정은 그런 현아를 보면서 풀려나는 느낌. 술도 좀 들어갔겠다, 모든
게 유쾌한 일들처럼 풀려나는 느낌. 그러면서도 조금 쓸쓸한.

36. 도심을 달리는 택시 안 (밤)

삼 남매와 두환까지 탄 택시 안. 모두 곯아떨어졌고, 미정은 창밖을
보고 있다. 차분하지만 살아 있는 눈빛. 그런 미정의 모습에서,

37. 술자리 (밤) - 회상

(슬로우) 창희까지 합세한 술자리. 막무가내로 떠들어대는 무리. 듣는
사람은 아무도 없고 다들 떠들기만. 웃으며 그런 무리를 보는 미정.
몽환적인 분위기 속에서 미정과 현아의 대화.

미정 (E) 사람들은… 말을 참 잘하는 것 같애.

말끝에 배시시 웃는 미정. 그런 미정을 사랑스럽게 가만히 보는 현아. 미정의 쓸쓸함을 알 것 같은.

현아 (E) 어느 지점을 넘어가면 말로 끼를 부리기 시작해. 말로 사람 시선 모으는 데 재미 붙이기 시작하면… 막차 탄 거야. 내가 하는 말 중에 쓸데 있는 말이 하나라도 있는 줄 알아? 없어. 하나도. 그러니까 넌 절대 말로 끼 부리기 시작하는 그 지점을 넘지 마. 웬만하면 너는 안 넘었으면 좋겠다. 정도를 걸을 자신이 없어서 샛길로 빠졌다는 느낌이야. 너무 멀리 샛길로 빠져서 이제 돌아갈 엄두도 안 나.

그윽하게 미정을 보는 현아.

현아 (E) 난, 니가, 말로 사람을 홀리겠다는 의지가 안 보여서 좋아. 그래서, 니가 하는 말은, 한 마디 한 마디가, 다 귀해.

입꼬리 올라가게 미소 짓는 미정. 눈물 나게 감동적이고 좋다.

38. 동네 일각 (밤)

어두운 시골길에 택시 한 대가 부드럽게 꾸물꾸물 기어가고. 택시 안에선 창밖을 보는 미정. 거대하고 시커먼 산.

미정 (E) 다시 태어나면 언니로 태어나고 싶어.

[INS. 다시 술집에서 미정과 현아의 대화]

현아 (E) 전생에 너처럼 살다가 다시 태어나면 막 살아야겠다고 한 게 지금 나고, 나처럼 막 살다가 이것도 아닌가 부다, 다시 태어나면 단정하게 살아야겠다 한 게 지금 너야. 너나 나나 수없이 이리 갔다 저리 갔다, 왔다 갔다 했어. 왜 이래, 순진한 척.

미정 (풀려나는 듯 환한 미소)

39. 동네 일각 (밤)

(부감으로) 구부러진 도로를 꾸물꾸물 기어가는 택시. 택시가 한 곳에 멈춰 서고, 작은 점이 택시에서 하나 나오고. 다시 꾸물꾸물 가는 택시. 카페 쪽으로 가는 작은 점.

40. 집 근처 (밤)

삼 남매가 택시에서 내리고. 택시는 돌아서 나가고. 구부러진 어깨를 하고 패잔병처럼 집 쪽으로 걸어가는 삼 남매. 어두운 시골길에 그렇게 가는 삼 남매의 뒷모습 위로 미정 (E) 우리 다, 행복했으면 좋겠어. 쨍하고 햇볕 난 것처럼. 구겨진 것 하나 없이.

41. 편의점 외경 (낮)

비가 주룩주룩 내리고…

42. 편의점 (낮)

계산대 안에 들어가 앉아 있는 중년 여자가 밖에 누가 오는 걸 봤는지, 미리 컴퓨터의 접속 화면을 열어놓고는, 가만히 기다리는데 "안녕하세요" 하는 소리와 함께 들어오는 창희. 창희는 점주가 열어놓은 화면에 목에 건 신분증을 대서 도착을 인증하고.

창희 어우 추워라. 안 추우세요? 에어컨을 왜 이렇게 세게 틀어놓으셨어요?

창희는 바로 진열대로 들어가 일 모드로 움직이는데, 여자는 죄지은 사람처럼 창희 눈치만 보고 있다. 이름표에는 [변상미].

창희 진열대 올리시고 싶다고요? (둘러보곤) 다 올리긴 뭐하고, 거기서 사각지대 거울은 보여야 되니까… 요 두 라인만 올리죠?

30센치만 올리면 될 것 같은데.

변상미는 면목이 없어 대답도 못 하고 죽겠는.

컷 튀면, 창희는 노트북을 펼쳐놓고 서서 일하는데, 변상미는 창희 가까이 가지도 못하고 한쪽에 서서 쭈뼛쭈뼛…

상미 진짜 나 때문에 헤어진 거야?

창희 … (모니터에 집중하는 눈빛) 헤어질 때 됐어요. 신경 쓰지 마세요.

상미 (죽겠는) 나 어뜩해야 되냐 진짜…

창희 …

상미 내가 여자친구한테 전화해서 잘 말해보면 안 될까?

창희 … (모니터에 집중) 25일, 27일 중에 어느 날이 좋으세요? 설비팀에서 나와서 작업할 건데.

상미 … (꾸물꾸물)

그때 전화가 와서 받는 창희. "네네. 네. 네네. 네. 네네."

변상미는 옆에서 어쩔 줄 몰라 하고.

43. 또 다른 편의점 (낮)

60대 남자 점주가 목장갑을 끼고 물건 정리하면서 성토.

점주 그 플라스틱 의자가 바람에 뱅글뱅글뱅글 지 혼자 돌다가 그 차에 (약하게) 틱, 부딪혔는데, 자기 차 수리비 대려면 이 가게 문 닫아야 된다고, 아이고야, 공갈 그런 공갈이 없다. 차가 뭐라는데 내 들어본 적도 없는 차라. 야, 내 인생 끝났구나.

창희　그런 일 생기면 바로 전화 주세요. 다 보험 처리돼요.

점주　내가 염 대리가 신으로 보였다. 내 증말. 염 대리, 우리 끝까지 같이 가야 된다.

창희　테이블은 원목 테이블로 바꿔드릴게요. 의자 붙은 걸로.

점주　고맙다 진짜. 염 대리 나랑 평생 같이 가야 된다.

창희　보건증 받으셨어요?

점주　(깜빡한) 아…

창희　다음 주 월요일에 커피 기계 들어오는데, 그 전까진 보건증 받으셔야 돼요.

점주　시간이 안 난다…

그때,

남자　(E) 여기 계산이요.

점주보다도 계산대에서 가까운 창희가 계산대로 뛰고.

창희　네!

남자 손님이 물건을 놓는다. 잠시 후에 한 여자가 뛰어 들어와 진열대로 가는데, 예린이다.

창희　!!

그때 계산대 앞에 서 있던 남자가,

남자　(예린 쪽을 보며) 비 오는데 왜 내렸어?

창희　!!

예린　잠깐만. (진열대를 두리번두리번)

점주　(상냥) 뭐 찾으시는데?

예린　***이요.

점주　고기 고기.

예린　아. 감사합니다.

예린은 발랄하게 물건을 가져와 "이것도!" 하면서 남자가 놓은 물건 옆에 놓다가 그제야 창희를 보고.

예린　!!

창희는 얼마라고 얘기하고, 남자에게 카드를 받아 계산하는 등의 모든 행위를 담담히 예의 바르게 한다. 가만히 서 있는 예린. 서로의 어색한 공기.

남자　(창밖을 보며) 차 막히기 전에 얼른 서울 나가야 되는데…

예린은 막판에 휙 고개를 들어 창희를 보는데, 창희는 끝내 예린을 보지 않고.

44. 편의점 앞 (낮)

창희 (E) 안녕히 가세요.

예린이 먼저 나오는데 표정이 좋지 않고. 이어서 남자가 나와 주차된 차에 오르고. 뒤이어 차에 오르는 예린.

45. 편의점 (낮)

창밖으로 떠나는 차가 보이고. 창희는 차를 봤는지 못 봤는지, 아무렇지 않게 일하고… 봤겠지만 견디는 듯…

46. 도심 일각 (낮)

우산 쓰고 터벅터벅 가는 창희. 그렇게 가는데, 창희 옆에 주차된 차에서 운전석 유리창이 내려가고.

민규 일하냐?

창희는 비 안 맞게 우산으로 운전석을 가려주고. 민규(이민규, 동료)는 무릎에 노트북을 펼쳐놓고 앉아 있다.

창희　왜 여깄어?

민규　(좌우 위를 보며, 불법 주차) 카메라 없는 데. 시간이 떠서. 점심은?

창희　폐기.

민규　안 질리냐?

창희　아직.

민규　(내리는 비 보며) 사무직 좀 하고 싶다. 건물에 가만히 앉아서. 밖에 천둥이 치든 벼락이 떨어지든 고요하게… 길바닥 인생 8년째다. 이번에도 팀장 못 달면, 접자 우리.

창희　(미소) 이번엔 달겠지. (멀리 보며) 달아야지… 수고해.

민규　가.

차창이 올라가고. 바짓단을 적셔가며 걷는 창희의 뒷모습.

47. 기정 회사. 휴게실이나 탕비실 (다른 날, 낮)

앳된 여직원(고은비)이 또래 여직원들과 로또를 보며 5천 원 당첨됐다고 좋아라. 이 팀장은 그런 여직원을 빙긋이 보다가

이 팀장　박진우 이사가 줬나 보네.

은비　(어떻게 알았지?) 네.

그때 한쪽에 있는 기정이 보이고.

이 팀장 새로 들어온 경영지원팀?

은비 네. (인사하고)

이 팀장 로또 주면서 그랬지? 설렘을 선물하는 거라고. 이제 토요일이면 설렐 거라고.

은비 어떻게 아셨어요?

이 팀장 여기 박진우 이사한테 로또 안 받아본 여자 한 명도 없어.

모두가 시선 마주치며 빙긋이 웃는데, 기정만 가만. 안 받아봤다…

이 팀장 금요일에 주면 좋잖아. 꼭 월요일에 준다. 로또 보면서 일주일 내내 자기 생각하게 하는 거지. 너무 싼 작업법이지 않아? 5천원으로…

김 이사 그래도 사람 기대하게 하는 면 있다. 토요일에 딴짓하다가도 '아차! 로또!' 그래. (기정에게) 그지 않아?

기정 …그죠. (어색한 미소)

김 이사 박진우 이사 로또로 일주일에 5만 원은 쓴대. 그런 상사가 어딨니. 난 커피 사주는 것보다 좋더라.

이 팀장이 은비에게 무안 주려 하자, 김 이사가 부드럽게 마크하는 분위기. 이 팀장은 뾰로통한 얼굴이고, 기정은 가만…

48. 한강 변 (저물녘 혹은 밤)

우울하고 잠잠하게 앉아 있는 기정. 옆에는 원희.

기정 로또도 나만 건너뛰어… 유부녀도 받고… 새로 온 직원도 받고… 다 받는데… 나만…

원희 그냥 대놓고 물어봐. 왜 나만 건너뛰냐고.

기정 …

눈앞의 풍경만 가만히 보고 있다가…

기정 아무한테나 전화 와서 아무 말이나 하고 싶어.

원희 (황당) 여태 떠들었는데. 맨날 떠들었는데. 여전히 떠들고 싶니?

기정 … (잠잠한 얼굴) 나, 하고 싶은 말은 못 했어. / 존재하는 척 떠들어대는 말 말고, 쉬는 말이 하고 싶어. 대환데… 말인데… 쉬는 것 같은 말… / 섹스라고 말하지만, 나 사실, 남자랑, 말이 하고 싶어.

바람에 날리는 기정의 머리칼.

49. 미정 회사 일각 (다른 날, 낮)

점심 먹으러 가는 듯, 재잘대며 가는 미정과 동료들. 그때 미정의 핸드폰이 진동으로 울리고. 액정을 확인하고는 살짝 당황스러운 얼굴로 멈춰서 얼른 받고.

미정 음.

친구 (F) 갑자기 찬혁 선배는 왜?

미정을 돌아보는 동료들. 미정은 '먼저 가'라는 손짓과 입 모양.

미정 (돌아서며, 통화) 뭐 물어보려고 하는데, 연락이 안 돼서.

50. 미정 회사 일각 (낮)

핸드폰 들고 있는 미정의 얼굴 위로

친구 (F) 선배 여기저기 돈 꿔달라고 해서 사람들하고 애매해진 것 같더라. 사업한다고 들떠서 떠들고 다닐 때부터 내가 불안불안 하다 했어. 한국 완전히 정리하고 태국 갔대. 신용 불량자 되고 여기선 답이 안 보이니까. 누구한테 갔겠니? 세영 언니한테 간 거지.

미정 …!

친구 (F) 세영 언니가 먼저 불렀다는 얘기도 있고. 사겼다 헤어졌다 반복하더니 결국…

미정 …

친구 (F) 근데 선배는 갑자기 왜?

미정 …별거 아냐.

친구 (F) 뭔데?

미정 별거 아냐. (재촉에 짜증도 나고, 괜히 딴 데를 보는데)

친구 (F) 너 혹시… 선배랑 사겼니?

미정 (당황스럽지만 피식) 사귀긴…

51. 푸드코트 (낮)

여전히 즐겁게 재잘대는 또래 여직원들. 그 틈에서 어울렁더울렁 미소 지으며 꾸역꾸역 먹는 미정. 그때 미정이 (샌드위치 종류를) 먹다가 흘리자, 수진은 그런 미정이 사랑스럽다는 듯이 닦아주며

수진 미정이 너무 귀엽지 않니?

어색하게 미소 짓는 미정. 사랑받는 것 같기도 하고, 애 취급받는 것 같기도 하고.

52. 지하철. 플랫폼 (낮)

초점 없는 눈빛으로 멍하니 서 있는 미정. 정지 화면처럼 미동도 않고 가만히…

미정 (E) 초등학교 1학년 때 20점을 받은 적이 있었어요. 시험지에 부모님 싸인을 받아 가야 했는데, 꺼내진 못하고, 시험지가 든 가방만 보면 마음이 돌덩이처럼 무거웠어요. 싸인은 받아야 하는데, 보여주면 안 되는. 해결은 해야 되는데, 엄두가 나지 않는. 지금 상황에서 왜 그게 생각날까요.

그렇게 있는데, 띠링띠링 하며 곧 지하철이 들어온다는 소리. 그제야 심호흡하며 억지로 정신을 챙겨오는 미정. 지하철에 오르고…

53. 달리는 전철 (낮)

한쪽에 기대어 서서 별 의미 없이 핸드폰을 이리저리 보는 미정의 모습 위로

미정 (E) 뭐가 들키지 말아야 하는 20점짜리 시험지인지 모르겠어요. 남자한테 돈 꿔준 바보 같은 나인지, 여자한테 돈 꾸고 갚지 못한 그놈인지, 그놈이, 전 여친한테 갔다는 사실인지… (핸드폰을 접고) 도대체, 뭐가 숨겨야 되는 20점짜리 시험지인지 모르겠어요. (쓸쓸한 얼굴) 그냥… 내가 20점짜리인 건지…

그때 지하에서 지상으로 올라오는 열차. 창밖 풍경을 보는 미정.

54. 동네 일각 (저물녘)

이른 시각부터 귀뚜라미가 울고. 시골길을 터벅터벅 걷는 미정. 그때, 저 멀리 구씨네서 급히 튀어나오는 제호가 보인다.

미정 !!

뒤이어 혜숙이 구씨네서 튀어나와 동동거리며 제호 뒤꽁무니를 보고, 제호는 용달차가 있는 공장 쪽으로 뛰는데, 미정은 대체 이게 무슨 상황인가 싶고. 어쩔 줄 몰라 하던 혜숙이 다시 구씨네로 들어가면서 보이는 구씨네 안 풍경. 피 묻은 수건으로 코를 틀어막고 앉아 있는 구씨. 다친 듯.

미정 !!

열린 문밖을 보는 구씨. 멀리 있는 미정과 시선이 닿는다. 술기운인지 잠결인지 지친 구씨의 눈동자. 이내 외면하고.

미정 !!

그새 제호가 구씨네 앞으로 용달을 끌고 와서 구씨를 차에 태운다. 미정의 앞을 달려서 지나치는 용달. 멀어지는 용달을 보는 미정. 저 뒤에서 역시 걱정스레 보는 혜숙.

55. 집. 거실과 주방 (밤)

식구들은 식탁에 둘러앉아 있고, 혜숙은 식탁과 불 켜진 가스레인지를 연신 오가며

혜숙 밥 먹으라고 갔더니 (손으로 얼굴 가운데를 크게 그리며) 여기가 시-커매 갖고, 피떡이 돼서 자다 일어나. 얼굴이 왜 그러냐니까 지도 거울 보고 놀래. 술 먹고 자빠져서 술기운에 아픈지도 모르고 잔 거지.

미정 …

혜숙 겨우내 술에 젖어 사는 거 간신히 끄집어내서 사람 만들어놨더니, 하루 일 없다고 고새 또 저렇게… 그렇다고 없는 일, 만들어 시킬 수도 없는 노릇이고.

창희 어디서 뭐 하다 왔대요?

혜숙 내가 알어. 뭐 물어보면 대답이나 시원시원하게 해? 이름이 뭐냐니까 우물쭈물… 뭐라고 불러야 되냐니까… '구가입니다.'

기정 사고 치고 숨어 있는 거 아냐?

모두가 그걸 의심하고 있었던 듯 말이 없고.

기정 괜히 오버해서 챙기고 그러지 마요. 무슨 사고 치고 들어와 숨어 있는 건 줄 알고.

제호가 기정의 말을 끊듯 밥그릇과 국그릇을 들고 일어나고. 빈 그릇

을 개수대에 넣고 방으로 들어간다.

혜숙 사고는 아냐. 뭐… 당한 거지. 본인이 사고 치고 그럴 성품은 못 돼. 당한 거야.

미정 …

혜숙 소라 할머니 툭하면 전화해서 구씨네 한번 가보라고. 세논 집에 사람 죽어 나갈까 봐 불안한 거지. 1년치 월세 미리 내고 들어왔다는데.

미정 …!

창희 젊은 사람 죽어 나갈 정도로 이 동네가 그렇게 드라마틱한 동네가 아녜요. 내가 태어나서 여태까지 이 동네에서 여름철에 홍수 나고, 노인네들 죽는 것 빼곤, 본 게 없어. 큰일이라는 게 없어. 아-무 일이 없어.

하며 빈 그릇 챙겨 일어나 개수대로 가다가, 창밖을 보고는 그대로 굳는 창희!

창희 뜨아… 강적이다…

모두 ?

창희 또 술 사와…

그 말에 모두 일어나 창희를 따라 창밖을 본다. 정말로 구씨가 술이 든 봉지를 들고 온다. 제집 쪽으로 꺾어진다. 어두워 잘 안 보이지만, 콧등을 박은 듯 얼굴 가운데가 전체적으로 시커멓고. 모두 제 위치에서 창밖을 보고 서 있는데, 미정은 시선을 돌린다. 그렇게 무심을 가장하고 있는 미정.

56. 구씨네 앞 (밤)

술은 앞에 있고, 테이블에 앉아 멍하니 정면만 응시하고 있는 구씨. 어떤 생각에 빠진 듯.

57. 미정 회사. 사무실 (낮)

미정은 프린터에서 나온 인쇄물 뭉치를 챙겨 들고 최 팀장에게 주는데, 최 팀장은 모니터 화면에 정신이 팔려 있어 건성으로 손으로만 받고. 미정은 거기에도 예의 바르게 꾸벅 인사하고.

58. 미정 회사. 탕비실 (낮)

미정이 커피를 만드는데, 백보람이 뾰로통하게 미정의 뒤통수를 보며 커피 마시다가

보람　혹시 언니도 괌 가요?

미정　(?, 돌아보는) 뜬금없이 무슨 괌을 가.

보람　!

미정　(아무렇지 않게 움직이는데)

보람　난 언니도 가면서 나한테 비밀로 하는 건 줄 알고… 기분 쫌 그랬는데…

미정　?

보람　…한수진하고 김지희 걔네들 휴가 때 괌 간대요.

[INS. 한수진 위주로 서서 발랄하게 얘기하는 넷]

보람　넷이 속닥거리다가 내가 가면 딱 멈추고. 기분 나쁘게 그런 걸 왜 비밀로 하나 몰라. 누가 쫓아갈까 봐?

미정　…!

보람　…한수진이랑 언니는, 되게 친한 줄 알았는데.

미정　…! (상처 입었으나 티 내지 않고. 돌아보며 엷은 미소로) 나 돈 없어.

59.　미정 회사. 사무실 (낮)

자리에 앉아 일하는 미정. 그러다가 문득 한수진 쪽을 본다. 김지희와 여직원1과 여직원2. 괌을 같이 간다는 여직원들과 같이 있다. 그녀들의 세련됨, 우아함, 에너지. 보다가 시선을 돌리고 무뚝뚝한 얼굴로 다시 컴퓨터를 보는데, 또다시 들리는 최 팀장의 "아씨…" 하는 소리. 최 팀장은 미정이 작업한 인쇄물(전 회차 수정본)에 빨간 펜을 찍찍 긋고 있다. 이제 아무 표정도 없는 미정.

60. 미정 회사. 행복지원센터 (낮)

#행복지원센터 팻말이 보이고.

#굳은 표정으로 고개를 틀고 앉아 있는 미정. 맞은편엔 향기가 생글거리며 오바해서 얘기하고 있고. 그동안 미정은 한 번도 얼굴에 기분을 티 내지 않았으나, 이젠 지쳤다. 절대 동호회에 들지 않겠다는 듯 굳은 표정.

향기 제가 염미정 씨한테 딱 맞는 동호횔 발견했어요. 낭, 독, 회. 낭~독. 발음도 너무 좋지 않아요? 전 이런 게 좋아요. 단어하고 느낌하고 딱 맞아떨어지는 거. 낭~독. 어딘가 모르게 쓸쓸하고 도도한 게, 낭독하고 딱이잖아요? 이번에 새로 결성된 동호횐데, 기술 부서 세 분이 신규 동호회로 등록하셨더라고요. 이거 보자마자 딱 염미정 씨가 떠오르더라고요. 낭독이다! 염미정 씨는 낭독이다…!

끝없는 오바 멘트에 눈물이 나겠는 미정. 심호흡을 하고. 미정의 심호흡에 그제야 멈칫하며 눈치를 살피는 향기. 결국 무너지며 한마디 한다.

미정 못 하겠어요…

향기도 살짝 당황하고. 또 힘겹게 한마디 하는 미정.

미정　힘들어요…

하면서 참았던 눈물이 고인다.

잠시 후, 주룩…

향기는 당황하고. 미안해하고.

향기　그래요… 집도 멀고…

미정의 표정은 굳어 있는데, 눈물은 줄줄줄…

당황해서 뭐라 뭐라 하는 향기의 목소리가 멀게 들리고…

61. 몽타주 (밤)

#도심 일각. 지쳐 걸어가는 미정의 뒤통수만 보이는데,

미정　(E) 지쳤어요. 어디서부터 어떻게 잘못된 건지 모르겠는데, 그냥 지쳤어요.

#달리는 전철 안. 역시 뒤통수만 보이는데…

미정　(E) 모든 관계가 노동이에요. 눈 뜨고 있는 모든 시간이 노동이에요.

지친 듯 고개가 옆으로 조용히 기울이진다.

다음 씬으로,

62. 동네 일각 (밤)

집 쪽으로 걸어가는 미정의 뒤통수

미정 (E) 아무 일도 일어나지 않고. 아무도 날 좋아하지 않고.

그렇게 하염없이 걷는 뒤통수.

주변 풍경으로 보아 동네라는 걸 알 수 있고.

한참을 가다가 문득 한쪽을 보고 멈춰 선다.

가만히 보다가, 그쪽으로 방향을 튼다.

뚜벅뚜벅 걸어가… 다시 멈춰 선다.

멈춰 선 미정의 뒤통수에서 살짝 보이는, 앉아 있는 구씨.

문득 구씨가 미정 쪽을 돌아본다.

구씨 !

미정 …

구씨 !

미정 (뒤통수에서) 왜 매일 술 마셔요?

구씨 !

미정 …

구씨　아니면 뭐 해?

미정　!

구씨가 다시 고개를 돌리는데, 미정의 뒤통수가 가지 않고 그대로 있다.

구씨도 외면하고 있지만 미정이 가지 않음을 느끼고.

이상하게 긴장된 분위기.

미정　할 일 줘요?

구씨　…! (돌아본다)

미정　술 말고 할 일 줘요?

구씨　…!

미정　날 추앙해요.

구씨　!

이제야 보이는 미정의 얼굴.

미정　난 한 번도 채워진 적이 없어. (말끝에 콧물이 훅 터진다. 무너지는 마음) 개새끼… 개새끼… 내가 만났던 놈들은 다 개새끼…

구씨　!

미정　그러니까 날 추앙해요. 가득 채워지게.

구씨　!

미정　좀 있으면 겨울이에요. 겨울이 오면 살아 있는 건 아무것도 없어요. 그렇게 앉아서 보고 있을 것도 없어요. 공장에 일도 없고,

낮부터 마시면서 쓰레기 같은 기분 견디는 거, 지옥 같을 거예요.

구씨　!

미정　당신은 어떤 일이든 해야 돼요.

난 한 번은 채워지고 싶어.

…그러니까 날 추앙해요.

구씨　!

미정　사랑으론 안 돼. 추앙해요.

구씨　!

멍하니 미정을 보고…

63. 구씨네 (밤) - 두어 시간 후

핸드폰을 보고 있는 구씨.

[INS. 핸드폰 화면. 추앙이라는 단어를 검색한 화면. '추앙. 높이 받들어 우러러봄. respect.']

가만히 보다가, 와… 이걸 어쩌지 싶은.

64. 구씨네 앞 (밤)

다시 현재로 와서,

다부진 얼굴로 구씨를 보는 미정.

술기운에도 정신이 번쩍 나는 듯, 조금 벌어진 입을 하고 있는 구씨.

그런 두 사람의 모습에서 귀뚜라미 소리만 가득.

3

EPISODE

"제가 올겨울엔 꼭 사랑할 거거든요. 아무나."

1. 다세대 주택. 방 한 칸짜리 (낮)

작고 낡은 싱크대를 뜯어내는 제호와 구씨.
표정도 없이, 절도 있는 동작으로 힘껏 팍팍 뜯어내고.
뜯어낸 자리에 새 싱크대를 설치한다.
초라하지만 나름 말끔해진 주방의 모습.

2. 다세대 주택. 앞 (낮)

제호와 구씨가 철거한 싱크대를 용달에 싣고. 제호가 묶은 줄을 구씨 쪽에 던지면, 구씨가 이쪽에 줄을 걸고 다시 던져주고. 컷 튀면, 주택가를 떠나는 용달.

3. 당미역 (낮)

#저 멀리 선로 끝에 하나의 점이 보이고, 점점 커진다. 열차가 들어오는 것.
#열차가 서고. 열댓 명의 사람들이 플랫폼에 내려 계단을 오르고.
#계단을 올라가는 미정. 저 앞에는 기정이 올라가고 있다. 나란히 걷는 법이 없는 자매. 살갑지 않은 사이. 구두를 신은 기정의 발이 피곤해 보이고.

4. 당미역 앞 (낮)

기정과 미정이 역에서 나와 마을버스 정류장 쪽으로 가다가 보면, 저 멀리 서 있는 제호의 용달차. 기정이 아무렇지 않게 그쪽으로. 미정도 그쪽으로. 기정이 차 문을 확 열고, 머리 숙여가며 힘들게 올라타는데, 운전석엔 구씨가 앉아 있다가 흠칫!

기정은 엉거주춤한 자세에서 구씨를 보고!

구씨도 기정을 봤다가 밖에 서 있는 미정을 보고!

미/구 !!

기정 ‥죄송합니다.

기정은 내려서 문을 쾅! 닫고, 다시 마을버스 정류장 쪽으로.

미정도 기정을 따라 정류장 쪽으로.

기정 … (가다가 혼잣말처럼) 우리 아빠 차잖아. 근데 왜 내가 죄송하대?

미정 … (그냥 걷고)

구씨 … (운전석에 앉아 백미러로 미정을 보는 표정)

미정 … (구씨가 신경 쓰이는 듯한)

5. 동네 일각. 집 근처 (낮)

#마을버스가 기정과 미정을 내려놓고 가고.

거의 집에 가까워진 기정과 미정. 그런 둘 옆으로 제호의 용달이 지나간다. 운전석 옆에는 제호가 앉아 있고. 마트에 들렀던 듯 무릎 위에는 수박 한 덩이.

#구씨가 공장 쪽에 용달을 주차하고. 제호의 뒤를 따라 집 쪽으로.

6. 집. 마당 (낮)

혜숙이 물일을 하는데, 이쪽에선 기정과 미정이 오고, 저쪽에선 제호와 구씨가…

기/미 다녀왔습니다.

혜숙은 얼른 제호의 수박을 받아 들고, 제호는 대충 씻으려고 수돗가로 가는데

혜숙 (구씨에게) 얼른 씻고 와 밥 먹어요.

구씨 오늘은 생각이 없어서… (인사하고 가는)

제호는 씻으려다가 그런 구씨를 이상하게 보고. 미정은 아무렇지 않게 집으로 들어가지만 그 소리를 들었고.

혜숙　왜애? …씻고 와요!

구씨　(그냥 가는)

혜숙　(제호에게) 밖에서 뭐 먹었어요?

제호　(씻으며) …먹긴.

혜숙　(구씨를 보며) 근데 왜 안 먹는대?

걸어가는 구씨의 담담하면서 차가운 얼굴.

7.　집. 자매 방 (낮)

옷을 갈아입는 미정의 표정도 별로. 기정은 선풍기 앞에 퍼질러 앉아 옷 속에 바람을 넣고 있고.

8.　집 외경 (밤)

9.　집. 주방 (밤)

혜숙은 신호가 가는 핸드폰을 귀에 대고 구씨네 쪽을 보고 있고, 제호, 기정, 미정은 밥 먹고 있다.

기정　그냥 둬요. 먹기 싫다는 사람한테 귀찮게 자꾸…

혜숙　그럼 하루 종일 일하고 온 사람 그냥 배곯게 둬?

기정　아 빈속에 술부터 때려 붓고 싶은가 부지!

제호　…

미정　…

기정　맨날 술에 젖어 사는 거 다 아는데, 자꾸 챙겨주고 그러는 게 좋기만 하겠어. 그만 정신 차려라, 단정하게 살아라… 은근히 압력 넣는 거 같겠지.

혜숙　(획) 누가 압력을 넣어?

기정　엄마가!

무심히 먹기만 하는 미정. 혜숙은 부은 얼굴로 주방을 정리하고.

10.　구씨네 (밤)

TV는 혼자 떠들고 있고, 구씨는 빈 소주병을 들고 일어나 한쪽에 놓고, 냉장고 문을 연다. 냉장고 문을 연 채로 가만히 있는 구씨. 휑한 냉장고 안. 술이 하나도 없다. 도로 냉장고 문을 닫고.

11.　동네 일각 (밤)

편의점이 있는 역사 쪽으로 걸어가는 구씨. 그렇게 가는 구씨의 등에서 미정　(E) 왜 매일 술 마셔요?

구씨　(E) …아니면 뭐 해?

미정　(E) …할 일 줘요?

12.　동네 일각 (밤) - 회상

미정　날 추앙해요.

구씨　!

미정　난 한 번도 채워진 적이 없어. (말끝에 콧물이 훅 터진다. 무너지는 마음) 개새끼… 개새끼… 내가 만났던 놈들은 다 개새끼…

구씨　!

미정　그러니까 날 추앙해요. 가득 채워지게.

구씨　!

미정　좀 있으면 겨울이에요. 겨울이 오면 살아 있는 건 아무것도 없어요. 그렇게 앉아서 보고 있을 것도 없어요. 공장에 일도 없고, 낮부터 마시면서 쓰레기 같은 기분 견디는 거, 지옥 같을 거예요.

구씨　!

미정　당신은 어떤 일이든 해야 돼요.
난 한 번은 채워지고 싶어.
…그러니까 날 추앙해요.

구씨　!

미정　사랑으론 안 돼. 추앙해요.

구씨　!

구씨는 취한 와중에도 정신이 나는 듯 창창한 눈빛. 일어나서, 이걸 어떻게 해야 되나. 얼굴을 쓸어내리고. 미정을 훅 지나쳐 길가까지 나와 서고.

구씨 (미정이네를 가리키며) 들어가. 들어가 자. (가려는데)

미정 어차피 할 일도 없잖아요.

구씨는 이걸 어떻게 말해야 되나 싶고. 결국,

구씨 내가 뭘 하고 싶은 인간으로 보여?

미정 !

구씨 너 내 이름 알아? 나에 대해서 아는 거 있냐고?

미정 !

구씨 내가 왜 이런 시골 구석에 처박혀서 이름도 말 안 하고 조용히 살겠냐? 아무것도 안 하고 싶다고. 사람이랑은, 아무것도.

미정 !

13. 미정 회사. 탕비실 (낮)

그 생각에 빠져 있는 미정. 미동도 안 하고 가만히 있는데, 수진이 빈 컵을 들고 헹구려고 들어오자, 마지못해 정신을 챙겨 오고, 들고 있던 음료를 마시는 척. 수진은 그런 미정을 의아하게 보고.

수진 뭐 해? 퇴근 안 해?

미정 …집에 가기 싫어. (말끝에 수진을 보며 빙긋이 웃는데 쓸쓸한)

14. 미정 회사. 근처 (낮)

신나게 걸어가는 미정, 수진, 지희, 보람 등등의 무리.

지희 웬일로 집순이가 집에 가기 싫대? 진짜 처음이다. 염미정 입에서 집에 가기 싫다는 말.

15. 바 (밤)

누구는 맥주, 누구는 칵테일을 놓고 바에 길게 앉은 무리. 미정의 양옆에 수진과 지희가 앉아 있고, 서로의 술을 마셔보고 즐거운데,

수진 왜 집에 가기 싫은데?

미정 …그냥.

지희 또 그냥! 그놈의 그냥을 그냥! 내가 오늘 그냥! 다시는 그냥이라는 말을 못 하게 확 패버리기 전에 그냥 말해!!

미정 … (빙긋이) 어떤 남자가, 우리 집에서 밥 먹어. 불편해.

남자라는 말에 주변에서 다 같이 달려드는.

무리　어떤 남자? 잘생겼어? 뭐 하는 사람인데? 몇 살?

미정　나도 몰라.

무리　(황당)

미정　진짜 몰라. (문득) 이름도 몰라. (본인이 생각해도 어이없고) 이름도 모르는 사람한테… 대박 사고 쳤어.

수진　무슨 사고?

미정　(미소 지으며 입을 다물어버리고)

수진　(양 어깨를 잡아 흔들며) 빨리 말해 말해 말해!!

미정　(잡힌 채로 흔들리며 수줍게 미소만)

16. 동네 일각 (밤) - 회상

이어서

구씨　너 남자한테 돈 빌려줬지?

미정　!

구씨　사내새끼들도 여우야. 돈 빌려 가고도 적반하장으로 지랄 떨면 찍소리 못 하고 찌그러들 여자… 알아본 거야.

미정　!

구씨　뚫어야 될 문제를 뚫어. 엉뚱한 데로 튀지 말고.

떨리는 모욕을 조용히 누르듯, 고개 숙이고 가만히 있는 미정. 그렇게 있다가 미정 (낮게) 그 자식이 돈을 다 갚으면, 아무 문제 없을까? 그래도 똑같을 것 같은데. 한 번도 채워진 적 없고. 그지 같은 인생에. 그지 같은 인간들. 다들 잘난 척, 아무렇게나 쏟아내는 말, 말… (말끝에 구씨를 본다. 너, 지금 힘부로 말하고 있어!)

구씨 !

미정 …

구씨 미안하다. 나도 개새끼라서.

미정 !

구씨는 편의점이 있는 역사 쪽으로 뚜벅뚜벅. 미정은 멀어지는 구씨를 본다. 용기 내서 살려달라고 했는데, 무참히 밟힌 느낌.

17. 바 (밤)

소란스러운 가운데 술기운에 배시시 풀어져 있는 미정. 그때 수진이 장난스럽게 놀라는 척 핸드폰의 시계를 보여주는. 11시 3분 정도.

수진 어뜩해 막차!

미정 (몸이 꼬인다) 으… 진짜 집에 가기 싫다…

다 같이 구호를 외치듯이, "막차 놓쳐! 놓쳐! 놓쳐! 놓쳐!"
난감해 몸을 꼬며 미소 짓는 미정의 모습에서.

18. 동네 일각 (밤)

씩씩대며 전투적으로 뚜벅뚜벅 걸어가는 미정의 뒤통수.

역사에서 마을 쪽으로 걷는 중.

미정 (중얼중얼) 나쁜 새끼… 바보 같은 게… 맨날 술만 마시는 게…

쳐다보지는 않지만, 저 멀리엔 구씨네가 보이고.

걸음을 늦추지도 않고 앞에 떨어진 돌을 주워 들고.

돌을 꽉 쥔 손. 던져버릴 거다.

그렇게 씩씩대며 가다가 보면, 저 앞에 차를 대놓고 낄낄거리고 있는 남자 둘. 대리 기사는 안에 있고, 오줌을 누려고 내린 듯. 그리고 내린 김에 담배를 피우는 듯. 두 놈은 낄낄대다가 멀리서 오는 미정을 보고. 순간 분노로 씩씩대던 미정의 숨소리가 긴장해 잦아들고. 걷는 속도가 조금 느려진다. 돌아설 수도 없고. 뛸 수도 없고. 점점 그들과의 거리가 가까워지고. 그놈들은 미정을 힐끗거리며 서로 귀엣말을 한다. 잔뜩 긴장하는 미정. 거리가 가까워지자 놈들은 어떤 준비 태세를 갖추는 듯, 낄낄거리며 미정을 쳐다보던 눈빛도 거두고, 고개를 돌려가며 잠잠해지는데…

그때. 미정의 뒤에서 뚜벅뚜벅 들어오는 뒤통수.

구씨다!

놈들이 구씨를 봤기에 행동을 바꾼 것.

구씨가 그렇게 미정을 호위하며 몰고 가는 듯한 분위기가 되고.

남자들은 조용해져서 담배만 뻐끔뻐끔.

그렇게 조용히 지나치게 되는 양쪽

미정은 뒤돌아보진 않지만 구씨인 걸 안다.

편의점에서 술 사 오는 듯, 비닐봉지 안에 병 부딪치는 소리, 슬리퍼 끄는 소리.

그렇게 가다가 구씨는 지체 없이 제집 쪽으로 꺾어지고.

제집 앞 의자에 앉아 봉지를 펼친다.

남자들의 차가 떠나고.

구씨는 대놓고 그들을 보진 않지만, 갔다는 걸 느끼고.

미정은 쥐고 있던 돌을 뿌리치듯 던지고 집으로 들어간다.

19. 집. 자매 방 (밤)

씻은 듯 젖은 머리칼을 하고 어둠 속에 가만히 앉아 있는 미정.

그렇게 앉아 있는데, 거의 울며 사정하는 창희의 목소리.

창희 (E) 엄마… 제발 에어컨 좀 켜요. 네?

20. 집. 안방 (밤)

혜숙은 어둠 속에서 미동도 안 하고 옆으로 누워 있고.

창희 (E) 어머니… 제발요…

어금니를 꽉 물고 일어나는 혜숙.

21. 집. 거실과 주방 (밤)

어둠 속에서 거실 에어컨을 켜고, 돌아다니며 모든 창문을 닫는다. 창희는 베개와 홑이불을 질질 끌고 나와 에어컨과 가까운 바닥에 눕고. 혜숙은 창문을 닫다가 구씨네를 본다. 집 앞 테이블에 가만히 앉아 있는 구씨. 혜숙은 그런 구씨를 보다가 하던 일을 계속하고.

22. 집. 안방 (밤)

혜숙은 방에 들어와 누우며 혼잣말처럼…

혜숙 왜 세상을 등지고 돌아앉았을까…

들었는지 어쨌는지 가만히 있는 제호의 등…
[INS. 역시 제 방에서 모로 누운 미정의 등…]

23. 구씨네 앞 (밤)

어두운 풍경 속에 가만히 앉아 있는 구씨.

테이블엔 모양이 다른 소주잔이 두어 개.
달을 지나가는 구름, 흔들리는 나뭇잎.
풍경은 조금씩 움직이는데 구씨는 돌처럼 가만.

24. 미정 회사. 앞 (낮)

한쪽에서 전화를 하고 있는 미정. 신호음은 계속 가는데 받지 않고. 결국 전화를 끊고 전 남친(찬혁)과의 톡을 확인하면 여전히 읽지 않음이고. 그동안 몇 개의 톡을 더 보냈고, 스스로 삭제한 메시지도 있고. 핸드폰을 접고 회사로.

25. 미정 회사. 로비 (낮)

뚝뚝한 얼굴이지만 나름 힘차게 들어오는 미정. 그렇게 엘리베이터 쪽으로 가다가 보면, 향기가 한쪽에서 수진(점심 식사 후라 손에 커피를 들고 있는)과 얘기하다가 미정을 보고는 흠칫하는 표정.

미정 !

향기는 미소로 서둘러 얘기를 마무리하고 가고.
어깨를 으쓱해 보이며 미정 쪽으로 오는 수진.
보람은 커피를 든 채 이미 엘리베이터 앞에 서 있고.

수진 너 무슨 일 있냐고 묻던데? 뭐야?

미정 내가 행복지원센터 불려 가서, (미소) 울어버렸거든. 동호회 들기 싫어서.

수진 헐. 그냥 아무거나 들어. 아무거나 들어놓고 바빠서 못 나갔다고 하면 누가 뭐래.

미정 (그럴 생각이 없는 듯한 미소)

수진 얘 은근 꿋꿋해.

모두 엘리베이터에 오르고.

26. 미정 회사. 탕비실 (낮)

미정은 냉 녹차를 만들고, 보람은 옆에서

보람 저랑 같이 사진 동호회 하는 건 어때요? 술 마시는 사람도 없고, 사람들 다 괜찮아요.

미정 (여전히 그럴 생각이 없는 듯)

보람 괜히 별거 아닌 걸로 자꾸 불려 다니는 거 그렇잖아요.

미정 …배우는 건 그만하고 싶어. 수영을 배우는데 자유형이 안 됐어. 근데 여럿이 하는 거니까 그냥 배영으로 넘어가고 평영으로 넘어가고… 학교 수업이랑 같애. 난 구구단을 떼지 못했는데 분수로 넘어가고. 그 뒤론 난, '그냥' 앉아 있는 거야. 동호회에서도 똑같은 짓 반복하기 그렇잖아. (싱긋) 그리고 난 뭐 재밌는 게 없어.

보람 …언니한테 괜히 말한 것 같애요. 한수진 걔들끼리 놀러 가는 거.

미정 … (무표정하다가 이내 빙긋) 내가 여행은 재밌어하겠니.

27. 미정 회사. 사무실 (낮)

미정은 인쇄된 팸플릿(서너 장짜리)을 최 팀장의 자리에 놔주고. 자리에 앉아 진동으로 울리는 핸드폰을 확인하는데. 굳어서 가만히 보는 얼굴. 전 남친의 톡이다.

[왜 여기저기 세영이 연락처는 물어? / 딴 사람 돈은 몰라도 니 돈은 악착같이 갚았어. 알바 뛰고 뭐 하고 탈탈 털어서 매달 입금했어. / 고작 한 달 입금 못 한 거잖아. / 나도 지금 머리 터지게 고민하고 있는데, 세영이한테 연락하면 돈이고 뭐고 없어.]

최 팀장은 인쇄물을 읽으며 한숨을 쉬고. 찍찍 긋기 시작하는데. 그런 소리가 미정의 귀에는 들리지 않고. 톡을 보며

미정 (낮게) 미, 친, 새, 끼.

그 말에 옆 칸에서 지희가 슬쩍 보는. 잘못 들었나?

그러다가 최 팀장 쪽을 보고는 얼른 시선을 돌리고.

최 팀장이 가만히 미정을 보고 있다.

그러다가 미정의 뒤로 와 서서 땅을 보며 골똘히 고민.

최 팀장 혹시 나 보고 한 소리야?

그제야 무슨 상황인가 싶은 미정.

모두 긴장!

미정 (얼었다) 아뇨. (핸드폰 들어 보이며) 톡 보고…

최 팀장은 믿지 않는 듯 가만히 있고. 모두가 긴장.

28. 미정 회사. 앞 (낮)

미정은 회사에서 나오고, 미정이 걱정된 보람이 쫓아 나오고.

보람 지가 미친놈이란 건 아나 부지.

미정 …

보람 커피숍 가는 거면 같이 가요.

미정 (애써 미소) 아냐. 집에 가서 할 거야. 내일 봐.

보람 (보다가) 잘 가요.

29. 커피숍 (저물녘)

낡은 도심에 있는 작은 커피숍에 앉아 있는 미정.

맥북과 보고서가 가득 든 천 가방이 테이블 위에 있고.

가만히 창밖을 보고 있다.

눈앞에 있는 [오늘 당신에게 좋은 일이 있을 겁니다]라는 [해방교회] 간판 문구. 1화에서 출근하면서 전철 안에서 보던 그 간판을 찾아온 듯. 그렇게 앉아 있는 미정의 등 위로 전철이 지나가는 소리가 들리고.

30. 당미역 앞 (다음 날, 낮)

뜨거운 볕이 쨍쨍 내리쬐는 당미역.

역사에서 네댓 명이 나와서 가고 나면,

평소와 다르게 말끔한 양복을 차려입은 창희가 나온다.

숨이 막혀 선뜻 발이 나가지 않고. 기분도 별로인 얼굴.

그래도 가야지 별수 있나.

31. 동네 일각 (낮)

시골 풍경에 어울리지 않는 세련된 옷차림으로,

무상무념의 얼굴로 일정한 속도로 걷기만 하는 창희.

덥고, 지치고, 기분도 안 좋고.

32. 두환 카페 앞 (낮)

그렇게 걸어와 나무 그늘 아래 평상 끄트머리에 앉는다. 지쳐서 가만히. 옆에는 두환이 대자로 누워 있고. 더위에 지쳤는지 숨소리도 내지 않는다.

창희 (낮게) 이 계절이 정말 싫어. 뱉은 숨하고 들이마신 숨하고 온도 차가 없는 계절.

두환은 들었는지 어쨌는지 대답이 없고.
창희는 그렇게 앉아 눈앞에 펼쳐진 풍경만 맥없이 보는데.
그때 빨간 스포츠카가 멀리서 달려오고.
어디로 가나 싶은데, 카페 쪽으로 들어와 주차한다. 차가 들어오는 소리에 두환도 일어나 앉고. 주차를 마칠 때까지 가만히 본다. 차에서 내린 30대 커플은 뭔가 이상한 분위기에 쭈뼛쭈뼛.

남자 …여기 커피 돼요?
두환 …되긴 되는데, 맛이 없어서.
남자 …
두환 …원두가 오래돼서. …죄송합니다.

커플이 올라탄 차가 떠나고.
두환은 도로 눕고. 그렇게 가만히 있다가…

창희　가게 보러 오는 사람은 있냐?

두환　(눈도 안 뜨고) 있겠냐?

또 가만히 있는 두 사람.

창희　(보고) 에어컨 키면 안 되냐?

두환　(눈 감은 채로 가만히 있다가, 일어나 카페 안으로)

33. 두환 카페 (낮)

에어컨을 끌어안듯이 서서 겨드랑이에 찬 바람 쐬어주고 있는 창희. 기운을 차린 듯 갑자기 분노를 쏟아내기 시작

창희　미! 친! 거 아냐? 내 친구 결혼식에 지가 왜 와? 나랑 헤어졌으면 내 친구랑도 당연히 끝난 거 아냐? 지가 뭔데 거길 와, 삐까뻔쩍 차려입고. 뭐? 편한 사이로 지내자고? 나 칼 맞은 놈이야. 견딜 수 없이 촌스럽네, 끔찍하네… 별소리 다 해놓고, 편한 사이로 지내재? (잡아먹을 듯 두환을 보며) 싸이코야? 내가 등신이야?

두환　미안해…

창희　(진정하려고 심호흡하는데 눈은 희번덕. 잠시 후) 그 남자랑은 아무 사이도 아니라고. 바로 두 사람 더 태워서 넷이 어딜 갔네 마네… 나랑 뭔 상관이냐고. 둘이든 넷이든 어딜 가든 말든. 끝났

으면 끝난 사이처럼 지내자고. 그게 기본이라고. 어디서 헤헤거리고 (지랄이야 씨). 아름답게 마무리? 웃기고 있네. 어디서 아름다움을 찾아. 남녀가 헤어지는데. (살짝 잠잠해지는) 그래놓고 사람 많은 데서 자기 쪽팔리게 만들었다고 지랄 지랄…

[INS. 예식장. 운 얼굴로 분해서 가는 예린이 잠깐…]
창희는 씩씩대기는 하지만 그 생각에 마음이 안 좋고.

창희 결혼식은 지들끼리 하면 안 되나. 없이 살던 시절에나 잔칫상 아쉬워 갔지. 먹을 거 천지인 세상에…

두환 나 배고파.

창희 …

34. 서울 도심 카페 (낮)

넓고 조용하고 세련된 커피숍. 한쪽에 단정하게 차려입고 앉아 있는 기정. 맞은편에는 소개팅 상대 남자. 서로 마음에 드는 듯 좋은 분위기.

기정 댁이 의정부시라고.

남자 네.

기정 경기도 북부 남자와 남부 여자의 만남이네요. 서로 계란 노른자를 뚫고 들어와서 만난 거네요. 동생이 그러거든요. 경기도는 서울을 감싸고 있는 계란 흰자 같다고. 서울은 노른자. 좀 전에 노큰자막을 뚫고 들어온 거죠.

남자　재밌네요. 거기서도 서울까지 들어오는데 한, 한 시간 반 정도 걸리나요?

기정　네.

남자　저도.

기정　서로의 집까지 왕복 세 시간. 바다 보고 오겠어요. 하하하.

남자　출퇴근하기 힘드시죠?

기정　죽음이죠.

남자　어떻게 체력은 괜찮으세요?

기정　별로. 이제 슬슬 빠떼리 아웃돼 가는 거 같애요.

남자　저도 그래요. 직장을 옮기든 집을 옮기든, 둘 중에 하나 결정을 봐야 되는데.

기정　전, 집을 옮기겠습니다. 서울로.

남자　아직 그 꿈 안 버리셨네요.

기정　혹시 버리셨나요? 포기하긴 아직 일러요. 좀만 더.

주변이 보이다가, 다시 이 테이블로.

남자　정수가 기정 씨를 핸드폰에 '받는 여자'라고 저장해 놨던데, 무슨 뜻이에요?

기정　아. 그거요.

남자　전화를 잘 받는 여자, 뭐 그런 뜻이냐니까, 아니라고. 기정 씨한테 직접 물어보라고 하던데요. 무슨 뜻이에요?

기정　갑자기 울컥하네요. 그 얘기 하려니까.

남자 …

기정 (자기 생각에 빠져) 예전에 친구들끼리, 남녀 사이에 최고의 경지랄까… 그런 거에 대해서 얘기하는데, 전 어려서 학교 때 역사책에서 봤던, 참수당하는 남편의 머리를 달려가서 치마폭에 받아낸 여자가 생각나더라고요. 어려선 너무 끔찍했고, 이해 안 됐지만, 나이가 드니까, 지금은 '아. 나도 받겠다. 받아야 한다. 땅에 떨어지게 두지 않겠다. 달려가 치마폭에 받아주겠다.'

남자 …

기정 그렇지 않나요? 받아줘야 되는 거 아닌가요? (또 생각하는) 어려서 여름 성경학교에 잠깐 간 적 있었는데, 예수가 십자가에 달리던 얘기를 듣는데… 희한하게 전 마리아한테 마음이 가더라고요. 예수가 채찍질당하고 십자가에 못 박혀서 죽기까지가 여섯 시간 정도거든요. 근데 그 여섯 시간을 쭈욱 쫓아가요, 마리아가. 그리고 예수 시신을 내려요. (결론) 멋지다… 나도 옆에 있어줘야지…

35. 당미역 앞 (낮)

창희와 비슷한 분위기로 역사에서 나와 서는 기정. 멀멀한 얼굴로 서 있다가, 힘없이 마을버스 정류장 쪽으로.

창희 (E) 그딴 걸 왜 받냐고!

36. 두환 카페 (밤)

집에서 음식을 챙겨 와 먹은 듯, 그릇들이 널브러져 있고, 빈 맥주 캔이 가득. 미정과 두환은 여전히 설탕 뿌린 옥수수튀김을 먹고 있고.

창희 누가 오냐, 너 같은 여자한테? 목 떨어질까 봐 무서워서 누가 오냐고. 말 좀 가려 하라고. 처음 보는 남자 앞에서, 그딴 얘길 하고 싶냐?

기정 물어보니까!

창희 왜애? 오늘 아침 똥은 어떻게 싸셨습니까 물어보면 다 말해 주지!

기정 다 말해 줘 난!

창희 (포기) 그냥 혼자 살아. 뭐 하려고 굳이 아무나 사랑하려고 애쓰냐. 어렵게. 하지 마. 아무도 널 사랑 안 해. 참수당하는 남자 머리 받겠다는 여잘 사랑할 남잔, 세상에 없어.

기정 (답답) 그 상황이 오면! 그 상황이 오면 받겠다는 거지!

창희 (답답) 그니까 그 상황을 왜 상상하냐고! 우린 목 제대로 붙어 있고 싶다고! 그런 상상 하고 싶지도 않다고! 하고많은 예 중에, 왜 남자 목 떨어지는 예를 드냐고! 남녀의 최고의 경지가 그거밖에 없어? 지금이 그런 시대야?

기정 …

창희 이건 남잘 찾는 게 아니고 동지를 찾는 거야. 시대가 태평한 게 천추의 한이겠다. 남자랑 같이 나라를 구해야 되는데, 적진으로 뛰어들어서 몸을 불살라야 되는데, 남자랑 밥 먹고 그러는 게 밍숭맹숭 성에 안 차는 거지.

기정 (알아들었는 줄 알았는데 또) 그럼. 1, 도망간다. 2, 기절한다. 3, 받는다. 어떤 여자야?

창희 어우 씨…

기정 도망가는 여자, 기절하는 여자, 받는 여자. 어떤 여자야? (미정에게) 너 어떤 여자야?

미정 나도 받아. 그 상황이 오면.

기정 (거 보라는 듯) 받는 여자야. 야실랑거리면서 여자 짓 하는 애들은, 이예린 같은 애들은 절! 대! 안 받아. 그런 애들은 삼십육계 줄행랑이야. 그게 사랑이니?

창희 목이 잘려야 된다는 거야 끝까지… 두환아! 전쟁 내야 된다. 누나의 남자는 꼭 참수를 당해야 된다.

두환 (먹으며) 나만 아니면 돼.

창희 오두환! 니 이름은 전쟁을 내고도 남아. 오두환!

두환 염창희! 니 이름도 만만치 않아.

창희 (술 떨어졌다) 염미정! 가 술 사 와.

미정 싫어.

창희 싫어? 그럼 구씨네 가서 빌려 와.

미정 ! (말 같지도 않은 듯 흘겨보고)

기정 빌려 와, 얼른! (힘들게 일어나고) 맨날 먹을 거 갖다주는데 술 좀 안 주겠냐? 갔다 와 얼른. 너 구씨랑 친하잖아.

미정 친하긴. (주섬주섬 챙기며) 그만 일어나. (파장을 만들려는 시도)

기정 한 잔이 부족해. 얼른 갔다 와. (화장실 쪽으로)

두환 구씨네 술 없어. 그만해.

창희 술꾼 집에 술이 없겠냐?

두환 알콜릭이 술 쌓아놓고 먹는 거 봤냐? 꼭 두세 병씩이지. 시작할 땐 오늘은 두 병만 하자, 진짜 두 병만 하자, 그러고 두 병만 사. 마시고 나면 발동 걸렸는데 멈춰져? 오밤중에 역까지 또 나가. 첨부터 네 병 사 오면 얼마나 좋아. 꼬옥 두 병씩. 그렇게 힘들게 산다 알콜릭들이.

창희 친한가 부다?

두환 옆집이다.

창희 말은 해봤냐?

두환 …한 번.

창/미 !

두환 마시다가 꼭 잔을 새로 갖고 나오더라고. 상에 소주잔이 꼭 두세 개씩 있어. 왜 그러냐고 그랬더니 (의미 있게 창희 보며) 마시다가 심심하면, 잔을 바꾼대.

미정 …!

창희 (아씨…) *라 쓸쓸하다…

두환 난 *라 멋지던데. (방향 바꿔 앉는 자세) 낮엔 저쪽 창문 보면서 마셔. 해 넘어갈 땐 베란다 보고. 밤엔 이쪽 창문 보고. 각도 바꿔가면서, 가만-히 부동자세로. 보초 서는 거 같애. 동네 지킴이야.

창희 (창가에 서서 구씨네를 보고 있고) 오늘은 밖에 없는데?

두환 후덥지근하잖냐. 바람도 없고. 에어컨 키고 있나 부지.

미정 (다 챙겼다. 쟁반 들고서) 그만 가. 그거 들고 와. (나가고)

창희 … (가만히 구씨네를 보다가) 한번 가볼까?

37. 동네 일각 (밤)

미정이 그릇 챙겨서 집 쪽으로 가는데, 잠시 후 창희가 카페에서 나와 구씨네로 간다. 미정은 슬쩍 돌아보고는 계속 집 쪽으로 가며, 저 씨이… 조용히 돌겠고.

38. 구씨네 (밤)

취해서 젖은 눈으로 가만히 보는 구씨의 시선. 창희가 공간을 둘러보며 하얀 벽면을 보고 감탄하는 중.

창희 오, 모기 잡기 좋은 벽이다. (벽에 얼굴을 대고 벽면을 보는) 오, 다 보여. 깨끗해. 내 방은 모기 들어오면 답이 없어. 벽지도 정신없고. 다 정신없어. (구씨를 보고) 몇 병째예요?

구씨 …

테이블을 보면, 잔이 두 개 있고.

창희 느낌상 왠지 두 병째 같은데… 잔을 바꾸는 것보단 술 상대를 바꾸는 게, 더 재밌지 않을까 해서, 왔습니다. 저도 한잔. 잔이…

하며 싱크대 쪽으로 가보면 개수대엔 사용한 몇 개의 컵이 놓여 있고. 상단 싱크대 문을 열어 두리번거리는데, 바닥에 깔려 있는 미정의 우편물! 구씨가 뚜벅뚜벅 걸어와 싱크대 문을 쾅 닫고 도로 자리로 가 앉는다. 창희는 좀 머쓱해져서 구씨를 보는데

구씨 …니 눈에도, 내가 한심해?

창희 …그럴 리가요.

39. 집. 자매 방 + 거실 (밤)

미정은 무심히 핸드폰 보는 척. 잠시 후, 창희가 들어와 방으로. 텀을 두고 기정도 들어오고. 창희가 방에서 도로 나와 화장실로 들어가려다가 이미 기정이 들어간 걸 알고는, 에이씨 퉁퉁거리며 다시 방으로. 별일 없었던 것 같은 분위기. 안심하고 핸드폰을 놓는 미정.

40. 달리는 마을버스 안 (다음 날, 아침)

흔들리는 마을버스 뒤에 앉아 창밖을 보고 있는 미정. 잠시 후에 보면, 가운데쯤에 구씨가 앉아 있다.

41. 당미역 앞 (아침)

구씨가 먼저 내려 편의점 쪽으로.

미정은 역사 쪽으로.

서로 아는 체도 안 하고 각자의 길로.

42. 기정 회사. 전화조사실 앞 (낮)

전화조사실에서는 조사원들이 소란스레 통화 중이고. 한쪽에서 기정이 서류를 보여주며 진우에게 얘기 중이다.

기정 다른 건 얼추 됐는데, 강원도 거주 40대 싱글 남자가 부족해요. 무작위로 전화 돌려서 여섯 시까지는 무리예요. 할당 풀어야 될 것 같애요.

진우 (고민) 조금만 더 해보죠. 아직 시간 있는데.

기정 더 해도 가능성이 없는 게, 이게 두 시간째 한 명도 안 늘고 있어요.

진우 (고민) …

기정 그냥 할당 풀죠. 시간도 없는데.

진우 (결론) 그럼. 여덟 시까지. 여덟 시까지 해봅시다. (발랄하게 손 들어 보이며 가고)

기정 (조용히 욕이 나오고)

43. 기정 회사. 탕비실 (낮)

기정은 한쪽에 앉아서 얼음 잔 들고 있고, 여직원(안소영)과 이 팀장 있다.

소영 오늘도 야근이에요?

기정 맨날 야근하래 씨.

소영 그래서 맨날 로또 뿌리잖아요.

기정 … (난 안 받아봤고)

소영 소개팅은 어떻게 되셨어요?

기정 …그냥 뭐. 다음에 기회 되면 보기로 했어.

이 팀장 (비웃듯) 원래 꽝이 다음 기회에 아닌가요?

기정 … (마음 상했고. 그래도 억지로 미소 챙겨) 혹시 이빨 새로 한 거야?

이 팀장 (냉랭하게 보는)

기정 하도 가지런해서.

이 팀장 동물한테나 이빨이라고 하지 않나요? 사람한텐 치아라고 하죠.

기정 (시선 내리며 표정 굳는. 썅년)

44. 기정 회사 근처. 편의점 앞 (밤)

지친 기정이 퇴근 복장으로 편의점으로 들어가고.

45. 편의점 (밤)

들어와서 보면, 진우가 테이블 쪽에 서서 뭔가를 보고 있고

기정　!

진우　(뒤늦게 보고) 어? 퇴근하시나 보네요.

기정　네.

진우　오늘도 수고하셨습니다. (바로 다시 보는)

기정　(뒤로 가며) 이사님도요.

기정은 물건을 집어 들고서는 무슨 생각에선지 가만히 있다. 박진우는 고심하면서 로또 번호를 쓰고 있고. 순간 기정이 진우 쪽으로

기정　저, 한 가지 물어봐도 돼요?

진우　네?

기정　여자들한테 로또 얼마나 줬어요?

진우　무지 줬겠죠? 여자한테만 준 건 아니고요. (로또 보는데)

기정　근데, 저는 한 번도 안 주셨다는 거, 아세요?

진우　!

기정　(싱긋)

진우　설마.

기정　한 번도 안 주셨어요.

진우　아… 아… 아… 죄송해요. 저도 저한테 놀래서요. 이렇게 원색적으로 티가 나는구나. 아, 부끄럽네요. 아… 정말 죄송해요.

46. 카페 (밤)

기정과 진우가 앉아 있고

기정 제가 올겨울엔 꼭 사랑할 거거든요. 아무나. ··긴장하지 마시고요.

진우 하하하···

기정 제가 요즘 정말 좀이 쑤셔서 콱 죽어버리고 싶거든요. 일은 14년째 똑같고. 회의도 똑같고. 사람도 똑같고. 맨날 욕하고 열받는 것도 똑같고. 무한 반복이에요. 이러다 죽는 건가? 더 이상 이렇게 살지 말자. 아무나 사랑하자. 난 또 작정하고 달려든 관계에서도 사랑이 막 샘솟는다. 무지막지하게 사랑해 보자. 지구를 들었다 놨다 해보자. 그런데. 아무도 절 안 건드려요. 다들 절 건너뛰어요. 이사님처럼.

진우 아 그건.

기정 네. 무의식적으로. 그 무의식을 들어보고 싶어요. 왜 다들 절 건너뛸까요? 오늘 제가 뼈가 부러지는 것 같은 자존심의 상처를 견뎌가며, 듣겠습니다. 왜 그럴까요?

진우 일단 제 입장에서 말씀드리자면, 남잔 좋아하는 스타일이 안 변해요. 친구 놈들 새로 사귀는 여자 소개시켜 준다고 해서 나가서 보면, 전에 사귀던 여자들이랑 똑! 같애요. 취향이 안 바껴요. 대개 코미디언은 코미디언이랑, 배우는 배우랑 결혼하잖아요.

기정 자주 보니까···

진우 자주 봐서가 아니고, 좋아하는 인간상이 다른 거예요. 만나면 신나고 유쾌한 걸 좋아하느냐, 아니면 두근거리고 설레는 멜로를 좋아하느냐. 전, 멜로.

기정 저도 멜로.

진우 (무시하고) 연애 경험이 많은 사람은 자기 취향을 정확히 아는데, 경험이 적은 사람은 자기가 뭘 좋아하는지, 어떤 스타일인지 잘 몰라요. 다들 멜로 멜로 하니까 멜로가 하고 싶은 것뿐이지, 막상 그 상황이 되면, 달달하고 간질간질한 걸 부끄러워서 못 견뎌 해요.

기정 부끄럽지만, 좋아요.

진우 부끄러운 건, 불편한 거예요.

기정 …

진우 팀장님은 다른 장르에서 훨씬 자연스럽고 매력적일 수 있어요. 남녀 간에 장르가 멜로밖에 없는 건 아니잖아요? 코믹, 엽기, 스릴러, 생활, 서스펜스… 얼마나 많아요? 이 중에 염 팀장님은 어떤 장르에서 가장 파워풀해질까요?

기정 (잘 못 알아듣겠는)

진우 염 팀장님의 장점은?

기정 (가만히 생각) 전, 진돗개 같은 여자예요. 배신 안 때리고 쭉 가요. 남잘 지켜요. 그리고 그 남잔… 남자여야 돼요. 우락부락해야 된다는 뜻이 아니고. 내가 아는 남자다움이 있어요. 남자.

진우 생활이네요. 살짝 스릴러로 갈 뻔했는데. 생활 취향인 사람 많아요. 이벤트니 뭐니 달달함 그런 거 별로 관심 없고, 그 사람의 삶에 대한 태도가 제일 중요해요. 중심을 보는 거죠.

기정 중심… 태도…

진우 그런 쪽으로 염두에 두고 보시면 얼추 맞을 거예요. 그리고 아무나 사랑하겠다는 막무가내식 결심보다는, 맘에 드는 사람이 생기면, 꼭 먼저 대시해 보겠다는 결심이 훨씬 건설적일 거예요.

기정 역시 전문가다우시네요. 네! 마음에 드는 남자 나타나면 꼭! 먼저 들이대 보겠습니다.

진우 ··들이대지 말고, 고백.

기정 고백은 부끄러워서.

진우 저희 어머니가 늘 하시는 말씀. '집하고 짝은 찾아다니는 거 아닙니다. 때 되면 온다.' 때 되면 옵니다. 내 께 옵니다.

기정 올까요?

진우 옵니다.

기정 (가방 만지는 척) 복채를 드려야 될 것 같은데.

47. 도심 일각 (밤)

기정과 진우가 역 쪽으로 걸어가는데, 진우가 순간 옆으로 난 샛길을 보고

진우 아. 전 이쪽으로 질러가면 더 빠르겠네요. 조심해서 가세요.

기정 (미소) 진짜로 저한테 마음이 요만큼도 없으시네요. 빠른 길 찾아가시고.

진우 (당황) 아··· 그럼··· (역까지 같이 갈 듯)

기정 (OL 장난스럽게, 쫓아버리듯 샛길로 몰며) 빨리 가세요, 빨리, 빨리.

진우　내일 뵐게요.

기정　내일 봬요.

진우는 살짝 난감한 얼굴로 종종종 가고. 기정은 덤덤한 얼굴로 역 쪽으로 가는.

48. 달리는 전철 안 (밤)

서울을 빠져나온 듯, 지상을 달리고 있고. 드문드문 앉아 있는 승객들. 지친 기정은 앉아서 차창만 보고 있는데, 차창 밖으로 [오늘 당신에게 좋은 일이 있을 겁니다]라는 문구가 흘러간다. '좋은 일은 개뿔'이라는 시선으로 뚱하니 보다가 옆을 보는데, 옆으로 뚝 떨어져 앉아 있는 여자를 보고는, 어랏? 예린이다. 술 취해 독기 오른 눈으로 씩씩대며. 취해 가쁜 숨을 내쉬면서도, 뭔가에 골똘히 생각에 잠긴, 울분에 찬 눈빛. 예린은 한참 만에 '뭘 봐?' 하는 시선으로 기정 쪽을 봤다가, 어랏? 서로가 가만히 보는.

49. 당미역. 플랫폼 (밤)

둘이 벤치에 앉아 있고. 예린은 어떤 얘기를 끝낸 듯. 그리고 술이 좀 깬 듯. 어색해진 예린이 거칠게 일어나고,

예린 갈래요.

기정 (종종종 쫓아가 부축하듯 잡고) 화장실 들렀다 가.

예린 됐어요. (뿌리치고 가고)

기정 들렀다 가. 여기서 서울 한참 가.

예린 그냥 한번 와본 거예요. (가다가 허공에 대고 소리치는) 내가 한번 와줬다, 니네 동네! 당미역! 아무것도 아니네. (다시 전투적으로 뚜벅뚜벅)

50. 건너편 플랫폼 (밤)

기정은 전철에 올라타는 예린에게,

기정 오줌 마려워도 참어. 이거 막차야! 내렸다가 다시 탈 차 없어! 서울 들어갈 때까진 참어!

문이 닫히고 떠나는 열차. 플랫폼을 벗어나는 열차 뒤꽁무니를 보고 있는 기정.

51. 동네 일각 (밤)

기정은 집에 가까워져 가고. 가다가 돌아보면, 저 멀리 창희가 퇴근해 걸어오고 있다. 그냥 집으로 들어가는 기정.

52. 집. 거실과 주방 (밤)

창희가 힘없이 들어오고.

창희 다녀왔습니다.

기정 엄마 아부지 안 계셔.

기정은 옷도 안 갈아입고 바닥에 앉아 눈 감고 선풍기 바람을 쐬고 있다.

창희 어디 가셨는데?

기정 상갓집.

창희 누구 돌아가셨는데?

미정 (방에서 빈 컵 들고 나오며) 엄마 삼촌.

창희는 냉동실 문을 열고 찬 바람을 좀 쐬고, 얼음을 한 움큼 빼서 컵에 담고 정수기 물을 받는다. 그러는 동안 가만히 있는 기정.

기정 너 왜 니가 차놓고 차인 척해? (지치기도 했고, 지랄 떨 일도 아니고, 잠잠히. 말끝에 눈을 뜨고 창희를 본다)

창희 …뭔 소리야?

기정 이예린. 니가 찬 거잖아.

창희 !

미정 (그 말에 미정도 그쪽을 보고)

기정 같이 보기로 한 영화 혼자 보고, 같이 가기로 한 식당 혼자 가고. 그런 경우를 당하고 안 헤어질 여자 있어?

창희 …

기정 이 새끼 보면 꼭 차일 짓을 해. 차일 짓을 하고 차여.

창희 …

기정 너 딴 여자 있니? 맘에 드는 여자 생겨서 은근슬쩍 정리하려고 한 거 아냐?

창희 내가 그럴 놈으로 보여?

기정 (그런 놈 아닌 건 알고) 근데 왜 그랬어?

창희 (그냥 움직이는)

기정 이예린. 당미역에서 한참 울다 갔어.

미정 …!

창희 (열받고 슬프고) 아나 부지. 지가 잘못한 거. (계속 움직이는)

기정 잘못은 지가 해놓고.

창희 (욱) 걔가 먼저 시작했어. 봤어. 걔 눈빛. '이거… 별거 없구나.' 오만 정떨어지는 재수 없는 눈빛. 여자들 만나다 보면 보이는 눈빛 있어. '이놈 별거 없구나. 이제 어떻게 헤어져야 할까. 어떤 꼬투리를 잡아서 어떻게 족칠까.'

기정 …!

창희 처음엔 나도 무지 기어. 나 별거 없는 놈인 거 아는데, 그래도 재미는 있다, 나 만나면 심심하지는 않다, 어르고 달래고… 그래도 안 되면 별수 있어? 끝내자는데 끝내는 수밖에. 그럼 죽어라 싸우는 거야. 내가 영화를 혼자 봐서 헤어진 걸로 만들고, 걔가 새벽에 다른 남자랑 톡해서 헤어진 걸로 만들어야 돼. 절대로 내가 별 볼 일 없는 인간인 게 들통나서 헤어지는 게 아니라! (울컥!)

무슨 말인지 알아듣겠는 기정과 미정, 마음이 안 좋다.

창희 (잠잠히 있다가 또) 나도 알아. 걔가 잡을 수 있는 패 중에 내가 최고의 패는 아니란 거. …더 좋은 패가 있겠다 싶겠지. 나도 알아! (모욕적이나 슬픈)

53. 당미역 플랫폼. 전철 안 (밤) - 회상

예린의 얼굴에서 천천히 열차가 떠나기 시작하면서

예린 (E) 맨날 내가 어느 동네 사는지 궁금하지 않냐… 당미역이 어디 붙었는지 궁금하지 않냐… 봤다고 전해줘요.

열차가 달리면서 예린의 눈앞에 흐르는 [당미역] 팻말…

예린 (E) 이제 이 근처 지날 때마다… 염창희가 생각나겠지.

전철이 속도를 내면서, 플랫폼에 드문드문 붙어 있는 [당미역] 팻말이 [염창희]로 바뀐다. 예린도 마음이 좋지 않다.

54. 창희 방 + 거실과 주방 (밤)

옷도 갈아입지 않은 채로 책상에 앉아 있는 창희. 기정과 미정도 거실에서 가만히. 다들 마음이 안 좋다. 순간 창희가 획 일어나 방을 나와 밖으로 나간다. 미정은 불안한 눈으로 그런 창희를 쫓고.

기정 (꽥) 어디 가, 이 밤에?

55. 동네 일각 (밤)

뚜벅뚜벅 걸어가는 창희.

56. 구씨네 앞 (밤)

구씨가 문을 열면, 창희가 서 있다.

창희 그날, 죄송했어요. 제가 술 취해서 오바했어요. 근데, 저 그렇게 무례한 놈은 아네요.

구씨 …

창희 가끔 술도 같이 마시고. 친하게 지내요.

구씨 …

창희 …뭐라고 불러야 돼요? 성밖에 몰라서.

구씨 …

창희 저 85년생.

구씨 …

창희 …형이라고 할게요.

창희는 돌아서 간다. 아주 가뿐하지는 않지만 그래도 좀 편한 얼굴. 구씨는 문 닫고 들어가고.

57. 집 앞 (밤)

기정과 미정은 집 안에서, 창희가 오는 걸 보고는 안심하는 얼굴. 자매가 창가에서 사라진다. 걸어오는 창희 저 뒤로 용달차가 달려온다. 창희는 옷을 벗고 수돗가에서 씻기 시작하고. 용달차는 집 앞을 지나 공장 쪽으로. 잠시 후, 제호와 혜숙이 마당으로 들어오고.

58. 집. 거실과 주방 (밤)

제호와 혜숙이 집 안으로 돌아오고. 옷을 갈아입은 기정은 방에서 수건 들고 나오고.

혜숙 (훌기는) 다들 이제 들어왔구만.

기정 (화장실로 가며) 야근했어요. 술 안 먹었어.

미정은 컵에 물을 채워 방으로 들어가고. 다시 평상시의 모습을 회복한 분위기.

59. 지하철. 지하도 (낮)

출근길인 듯, 환승 지하도를 걸어가는 미정의 모습 위로

미정 (E) 생각해 보면, 내 인생의 개새끼들도, 시작점은 다 그런 눈빛… '넌 부족해'라고 말하는 것 같은 눈빛…

60. 지하철. 플랫폼 (낮)

그 표정을 생각하듯 가만히 있다가 떠올리기 싫은 듯, 고개를 돌리며 심호흡.

미정 (E) 별 볼 일 없는 인간이 된 것 같은, 하찮은 인간이 된 것 같은 느낌. 우리를 지치고 병들게 했던 건, 다 그런 눈빛들이었다. 자신의 사랑스러움을 발견하고자 달려들었다가 자신의 볼품없음만 확인하고 돌아서는 반복적인 관계. 어디서 답을 찾아야 될까.

열차를 기다리며 멈춰 서 있는 미정의 얼굴에서.
[INS. 미정을 보듯 카메라를 보는 구씨의 얼굴.]

구씨 넌? 넌 누구 채워준 적 있어?

그렇게 가만히 있는 구씨.

그리고 돌아서 가는 구씨의 뒷모습.

그 생각에, 숨도 쉬지 않고 정지해 있는 듯한 미정.

61. 공장 (낮)

비 오듯 땀을 흘리며 묵묵히 일하는 구씨. 수건으로 땀을 닦아내고. 연신 돌아가는 기계에 맞춰서 기계적으로 움직인다. 그리고 잠시 쉬는 듯, 입구에 쪼그려 앉아 쨍한 밖을 보고 있다. 가만히.

62. 미정 회사. 구내식당 (낮)

또래들과 점심 식사 중인 미정.

또래들은 재잘재잘 떠들다가 미정에게

수진 그 남자 요즘도 니네 집에서 밥 먹어?

미정 (살짝 펄쩍. 왜 또 그 얘기를. 민망하게)

수진 아직도 불편해?

미정 됐어. 그만해. 잊어.

그때 미정의 핸드폰이 진동으로 울려서 핸드폰을 보자, 또래들은 다시 자기들끼리 얘기. 가만히 문자를 보는 미정. [〈행복지원센터 알림〉 귀하께 새로운 동호회 정보를 드리고자 하니, 오늘 잠시 센터에 들러주시면 감사하겠습니다.]

미정은 혹시나 해서 눈으로 상민과 태훈을 찾는데, 태훈도 그 문자를 보는지 핸드폰을 보고 있고, 태훈의 근처에 있는 상민은 문자를 보며 짜증스러운 듯 입 모양으로 욕지거리. 그러다가 상민이 미정을 보고. 미정은 얼른 시선을 돌리고.

63. 미정 회사 일각 (낮)

미정, 상민, 태훈이 구석에서 말없이 서 있다.

상민 진짜 인권위에 신고해 버릴까 부다.

태/미 …

상민 이따 갈 건가?

태훈 그냥 우리끼리 하죠. 아무거나.

상/미 ?

태훈 동호회 들기 전까지 계속 불러댈 것 같은데, 우리 셋이 한다고 하고, 안 모여도 상관없잖아요.

상민 (땡기긴 하지만) 셋이 한다고 하면 의심할 텐데.

태훈 (그럴 것 같다)

상민 (그래도 그 방법밖에 없는 듯) 뭐 하냐고 하면?

태훈　…! (동의하시는 거?)

상민　독서? 독서는 이미 있고. 없는 거 뭐 없어?

태훈　(생각해 보는) 등산도 있을 거고.

상민　백 퍼 있지. (생각해 보는) 이거 잘 골라야 되는데. 이미 있는 거 말했다간 거따 끼워 넣을 거란 말야. (생각해 보는) 붓글씨… (안 되겠다) 혹시 사내 동호회 리스트 알 수 없나? 거기에 없는 것만 하면 되잖아.

태훈　(서둘러 핸드폰 열고) 싸이트에 들어가 볼게요. 리스트 있을 거예요.

상민　그래. 봐봐.

미정은 가만히 있다가

미정　우리, 진짜로 하는 거 어때요?

상/태　!

미정　해방클럽.

상/태　!

미정　(잠잠히) 전, 해방이 하고 싶어요. 해방되고 싶어요. 어디에 갇혔는지 모르겠는데, 꼭, 갇힌 거 같애요. 속 시원한 게 하나도 없어요. 깝깝하고. 답답하고. (결론) 뚫고 나갔으면 좋겠어요.

뭔가 동화된 듯 가만히 보는 태훈과 상민.

상민　해방. 좋다…

64. 행복지원센터 (낮)

이건 뭐지? 싶은 표정인 향기. 맞은편에 미정, 태훈, 상민 셋이 나란히 앉아 있다.

향기 세…분이서?

상민 네.

향기 (제출한 신청서 보며) 해방‥이 뭐 하는 거예요?

상민 대한민국은 1945년에 해방됐지만 저흰 아직 해방되지 못했습니다.

향기 (설명을 더 기다리는. 끝?)

상민 … (끝)

향기 그래서… 세 분이 뭐…를…하시겠다는.

상민 …해방‥할 겁니다.

향기 (음? 여전히 이해 안 되고)

65. 밭 (낮)

서걱서걱 옥수숫대가 스치는 소리. 빠르게 옥수수를 따고 있는 미정. 옥수숫대에 가려 저 멀리 제호의 얼굴이 보였다가 사라지고. 역시 혜숙의 얼굴도 보였다가 사라지고. 그리고… 구씨의 얼굴이 보인다. 그런 모습에서.

66. 미정 회사. 로비 (낮) - 회상

퇴근 차림으로 로비 한구석에 모여 있는 미정, 태훈, 상민.

상민 근데. 진짜 우리 뭐에서 해방돼야 되는 거야? 뭐 해야 돼?

미정 (본인도 모르겠고)

태훈 그것부터 생각해 보기로 하죠. 뭐에서 해방돼야 되는지.

[INS. 회사 건물을 나와 각기의 방향으로 흩어지는 셋의 모습이 뭔가 힘차다. 한 번도 보인 적 없는 생기.]

67. 밭 (낮)

각기 뚝 떨어져서 새참을 먹는 제호, 혜숙, 미정, 구씨.
구씨는 음료만 마시는 정도.
제호와 혜숙이 먼저 일어나 옥수수가 수북이 든 박스를 맞잡아 들고 이동하고. 그렇게 미정과 구씨만 남는데, 미정은 자신을 등지고 가만히 앉아 있는 구씨를 본다. 그렇게 보다가 미정이 주섬주섬 일어나고, 괜히 목장갑을 툭툭 털며

미정 혹시… 내가 추앙해 줄까요?

구씨 !

구씨가 뒤돌아보면, 미정은 그제야 구씨를 보는데 무뚝뚝한 얼굴.

미정　그쪽도 채워진 적이 없는 것 같아서.

구씨　!

미정　필요하면 말해요.

그리고 미정은 아무렇지 않게 옥수수밭으로 들어가고. 구씨는 황당한 얼굴로 그런 미정을 보고.

68.　구씨네 (밤)

술을 마신 듯 상기된 얼굴로 가만히 있는 구씨. 눈도 깜빡 안 하고 정지돼 있는 얼굴. 그러다가 순간 어이없는 듯 헛웃음이 나며 얼굴이 풀어진다. 이걸 어쩌지 싶은. 그냥 끝날 것 같지 않은 예감.

69.　집 앞 (다음 날, 아침)

잔잔한 시골 아침 풍경 후.

미정　(E) 다녀오겠습니다.

미정이 집에서 나와 마을버스 정류장 쪽으로 가다가 보면, 역시나 구

씨가 집에서 나와 걸어온다. 그렇게 서로의 거리가 좁혀지고. 늘 그랬듯 구씨는 인사도 없이 지나치려는데

미정　인사는 하고 지내요.
구씨　! (멈춰서 보는)
미정　(다부진 표정) 인사는 하고 지내요.

구씨는 말없이 그런 미정을 보다가

구씨　마을버스 와. 뛰어. (가는)

미정은 구씨의 뒤통수를 보고 있는데,
뚜벅뚜벅 가던 구씨가 뒤돌아보고

구씨　뛰라고!
미정　!

구씨는 다시 가고.
그제야 돌아서서 보면 정말로 마을버스가 멀리서 오고 있다.
열심히 달리는 미정.
달리는데 얼굴이 부드럽게 풀어진다.
그렇게 간신히 버스에 오르고.

70. 공장 앞 (낮)

공장으로 들어간 줄 알았던 구씨가 공장 문 앞에 서서, 버스에 오른 미정을 확인하고는 다시 들어간다.

71. 달리는 마을버스 안 (낮)

풀어진 얼굴로 마을버스에 앉아 실려 가는 미정.
숨차 심호흡을 하는데, 뭔가 숨통이 트이는 기분.

4

EPISODE

"어디에 갇힌 건진 모르겠지만, 뚫고 나가고 싶어요."

1. 집 외경 (낮)

2. 집. 거실과 주방 (낮)

선풍기가 회전으로 돌고 있고,

소년처럼 말없이 성실하게 밥을 먹는 미정.

제호, 혜숙 아무도 말이 없고, 구씨도 있어 더욱 어색한 상황.

고춧가루 넣은 고구마줄기 볶음만 쑥쑥 줄고.

혜숙은 일어나 솥단지에 있던 고구마줄기를 더 수북이 덜어놓고.

그렇게 먹다가, 제호가 다 먹고 숭늉을 마시고 일어나 밖으로.

혜숙 (제호 뒤꽁무니를 힐끗 보곤) 저 냥반, 생전 누구 일 잘한다고 하는 소리 못 들어봤는데… 구씨는 아주 이뻐죽어. 똑 떨어지게 잘한다고. 뭘 해도 잘했을 거라고.

구씨 (무덤덤. 그냥 먹기만)

혜숙 미정이 말고 누구 칭찬하는 소리 처음 들어보네. 어려서부터 얘만 맘에 들어 했잖아. 내가 만든 서랍 보고는 맨날 눈 흘기는 양반이, 얘가 만든 건 두말 안 해. 얘 초등학교 3학년 때부터 몰딩도 하고 못 돌리는 기계 없었어. 짝은 게 얼마나 야무졌는데.

미정 (그런 얘긴 뭐하러. 어려서부터 공장 일 했다는 게 창피하고)

혜숙 (벽에 걸린 사진을 가리키며) 조기 조기. 조게 얘 어려서 공장에서 찍은 거.

구씨는 보라니까 어쩔 수 없이 보는데, 초등학교 3학년 정도의 어린 미정이 서랍 만드는 모습. 색도 바랬고, 측면이라 얼굴은 자세히 안 보인다. 미정은 왠지 민망하고.

혜숙 위에 두 놈들은 학교 갔다 오면 책가방 던져놓고 놀러 나가기 바쁜데, 앤 바로 공장이야. 숙제도 안 하고.

미정 …

혜숙 재밌었던 거지. 재미없으면 일 그렇게 못 해.

그때, 밖에서 큰 소리

제호 (E) 소쿠리!

혜숙 예!

혜숙이 플라스틱 소쿠리를 챙겨 나가고.
구씨와 미정 단 둘이 먹게 된 상황. 세상 어색하고, 숨 막히는 분위기.
그래도 꾸역꾸역 먹는데,

3. 동네 일각. 마을버스 정류장 (낮)

기정은 (얼음만 남은 아이스커피 컵을 들고) 시풀시풀거리며 마을버스에서 내리고. 창희가 뒤이어 내려 기정을 훅 앞질러 가버리고. 기정은 그런 창희를 노려보며 '저 개쉐…'

4. 집. 마당 (낮)

혜숙이 밭에 있는 제호에게 소쿠리를 주고 돌아오는 길에 보면, 낮게 욕지거리를 하며 쫓아오던 기정을 향해 창희가 홱 돌아서

창희 그만해라!

기정 뭘 그만해 새꺄!

혜숙 또또…

기정 저 시키가 사람 많은 데서 나 보고 시팔이래잖아!!

5. 집. 거실과 주방 (낮)

어색하게 먹는 미정과 구씨 위로

창희 (E) 누가 언제 시팔이라 그랬다 그래?

기정 (E) 들었어 내가!

창희 (E) 어우, 진짜 씨이. 그래, 시팔이라 그랬다! 누가 요즘 커피 들고 버스 타냐?

기정 (E) 얼음밖에 없었어! 쓰레기통 없어서 어쩔 수 없이 들고 탔어, 븅신아.

창희 (E) 중심도 제대로 못 잡으면서 맨날 하이힐은 신고, 왜 뭐는 들고 타서 어따가 안기냐고! 징그럽게!

6. 집. 마당 (낮)

기정 내가 언제 안겼어-! (거의 울겠는) 내가 안겼어? (비틀) 이게 안 긴 거야? 이게?

혜숙 동네 창피해, 그만해. 들어가.

창희가 어우-! 성질을 누르며 들어가자, 분이 안 풀린 기정이 슬리퍼를 집어 들어, 들어간 창희 쪽에 냅다 던지는데,

7. 집. 거실과 주방 (낮)

밥 먹던 미정이 맞았다.
모두 조용.
기정도 구씨를 보고는 멈칫하는 분위기.

창희 에이… 애 밥 먹는데…

미정은 이걸 어떻게 할까, 살짝 머뭇거리는 것 같더니, 슬리퍼를 주워 들고 현관 쪽으로. 기정이 움찔 물러나고, 미정은 투수처럼 어깨 빠지게 슬리퍼를 확 던지고는 도로 자리에 와 앉아 아무렇지 않게 계속 먹는다. 황당한 구씨.
컷 튀면,

8. 집. 거실과 주방 (밤)

(옷을 갈아입은) 기정은 아직도 분이 안 풀린 얼굴로 꾸역꾸역 먹고, 혜숙은 주방에서 주섬주섬 치우며 왔다 갔다 하며,

혜숙 딴 집 자식들은 식구들끼리 하하호호 자분자분 말도 잘하는데, 우리 집 새끼들은 뭘 잘못 먹었는지… 마주쳤다 하면 겍겍… 다 큰 것들끼리 동네 창피한 줄도 모르고 길바닥에서…

기정 참았어! 집에 올 때까지.

혜숙 (후… 말을 말자)

9. 구씨네 앞 (밤)

구씨는 늘 앉는 자리에 앉아 똑같은 자세로 술을 놓고 있고, 한쪽에 창희가 앉아 있다.

창희 미정이 걔 조심해야 돼요. 갑자기 욱해요. 욱할 때 보면… 무서워요. 무서워서 무서운 게 아니고. 뭐래야 되나. 싸움 못하는 애들 특징이 이렇게 차면 큰 사곤데 그걸 모른다는 거. 우린 맨날 치고받고 싸워도 정말 큰 사고는 안 나게 죽어라 계산 때려가면서 싸우는데, 미정이 걘… 열받으면 그냥 낭떠러지에서 발로 차버릴 애예요. 앞뒤 없어요. 머리가 없는 거야.

구씨 …

창희는 지친 듯 얼굴을 쓸어 올린다.

창희 아… 정말 피곤해 죽겠는네…

불 켜진 집을 보고, 불 꺼진 카페를 본다. 집은 싫고, 카페는 닫혔고.

창희 …내가 진짜 인간들 욕 안 하기로 했는데… 그냥 내 수준이 여긴 거다… 이런 사람들하고 어울릴 수준인 거다… 내가 준비되면, 때 되면, 용쓰지 않아도 알아서 옮겨질 거다… 그런 마인드로 살기로 했는데… (오늘은 너무 힘들다. 눈을 꾹 누르며) 하루 종일 힘들어 죽겠는데, 집에서도 씨이… (가만히 있다가) 에어컨 맘껏 트는 집에서 혼자 살고 싶어요… 사람 목소리 안 들리는 곳에서…

구씨 …

창희 (구씨를 보고) 형은 내 로망이에요. 혼자 사는 남자.

구씨 … (희미하게 피식)

두 사람 다 말없이 가만히. 그러다가

창희 여기 어떻게 오게 됐어요?

구씨 …!

창희 이 동넨 나가는 사람은 있어도 들어오는 사람은 없는데. 여기 누구 아는 사람 있어요?

구씨 …없어.

창희 근데 어떻게 오게 됐어요?

구씨 …

창희 어려서 이 근처에 살았어요?

구씨 (귀찮은 듯, 생각하기 싫은 듯, 짧게) 잘못 내렸어.

창희는 무슨 소린가 싶은데, 구씨는 조용히 잔을 기울이고, 그때 부릉 오토바이 소리. 축구 유니폼을 입은 두환이 오토바이 뒤에 축구 용품을 잔뜩 싣고 온다.

창희 (일어나) 왜 문은 잠그고 다니고 지랄이야. 뭐 훔쳐 갈 거 있다고.

두환 내가 잠궜냐?

두환은 오토바이에 실은 짐을 들고 문을 따고 들어가고. 창희는 그런 두환을 보다가 구씨에게

창희 먼저 갈게요… (그냥 집 쪽으로)

두환이 마저 짐을 챙기러 나와서 보면 창희가 집 쪽으로 가고 있고.

두환 왜 그냥 가?

창희 (대꾸 없이 그냥 집으로)

10. 집. 마당 (밤)

창희가 오는데, 제호가 푸세식 화장실에서 나와, 휴지를 신발장 선반에 놓고, 수돗가로 가 손을 씻고. 창희는 집 안으로. 서로 눈길도 주지 않는 부자.

11. 집. 거실과 주방 (밤)

창희가 들어오는데, 기정은 화장실에서 씻고 나와 방으로

창희 (욱) 머리 좀 깜구 자라구. 아침부터 둘이서 화장실 차지하지 말고.

주방을 정리하던 혜숙은 또 싸우나 싶어 애간장이 녹기 시작하는데, 기정이 대꾸도 없이 들어가 버리고. 그러자 창희도 제 방으로.

창희 (방으로 가며) 화장실 하나 더 만들자고 그렇게 말해도.

혜숙 (참자 싶다가) 니들 다 나가면 화장실 두 개가 왜 필요해? (더 말하지 말자 싶다가 또) 1년 내로 싹 다 나가. 화장실 두 개씩 있는 집으로. (화를 참으며 끝맺는)

미정은 몇 개의 컵을 닦아 선반에 올리고, 식탁에 있는 옥수수를 집어 먹으며 슬쩍 구씨네를 본다. 구씨는 여전히 집 앞에서 술을 마시고. 미정은 옥수수를 먹으며 덤덤히 제 방으로.

12. 창희 회사. 사무실 (다음 날, 낮)

강 팀장(강현욱, 40대 초반)은 한쪽에서 선배답게 친근하게 말하고, 창희는 죄인처럼 듣기만

강 팀장 나도 그랬어. 나도 그날 제일 가기 싫은 지점, 제일 먼저 가. 초짜 때는 가기 싫은 데 제일 뒤로 놨는데… 알잖아. 거기 들를 때까지 하루 종일 불편한 거. 첫 빠따로 아침 일찍 해치우는 게 백번 낫지. 그래도. 점주들한테 그렇게 말하면 어떡하냐.

창희 점주님들한테 한 말은 아니고요.

하며 한 여자, 정아름(정 선배, 창희 또래)을 슬쩍 흘겨본다.

아름은 자리에 앉아서 속없이 떠들고 있고.

강 팀장 담당자 바꿔달라는데, 이런 일로 바꾸는 건 그렇고… 잘 얘기해 봐.

창희 …

강 팀장 통화는 해봤어?

창희 …전화를 안 받으세요. 문자해도 답도 없고.

강 팀장 … (난감하다) 받을 때까지 해봐야지 별수 있냐.

13. 창희 회사. 복도 (낮)

사무실에서 나오면서 창희와 민규가 목소리 낮춰 얘기.

창희 (핸드폰 보며) 어제 매장 도는데 이상하더라고. 가는 데마다 오늘 어느 지점 제일 먼저 들렀냐고. 왜 그러냐고 그랬더니, 정 선배가 그랬대. 내가 꼴 보기 싫은 인간 있는 데 제일 먼저 간다고.

창희와 민규가 사무실에 있는 아름을 힐끗. 혼자 신나 떠들고 있는 아름.

민규 (듣기만 해도 짜증나고) 따끔하게 한마디 해. 남의 영업장에 기웃대지 말라고. 담당자 바꼈으면 발 끊어주는 게 예의 아냐? 왜 자꾸 들락날락 말 옮겨서 분란 만들어.

창희 (핸드폰만 만지작)

민규 정 선배 승진 앞두고 너 견제하는 거냐?

창희 … (그런 것 같고)

민규 야. 괜찮아. 점주랑 싸우고 화해하고, 그러는 게 우리 일의 7할인데, 이런 걸로 승진에 영향 없어. 괜찮아.

창희 딴 날은 가기 싫은 데 먼저 가. 근데 어젠 아니거든. 점주가 밤새 혼자 일하고 아침에 퇴근하시는 분이라 일찍 들어가 쉬시라고, 그래서 첫 빠따로 가는 건데… (마음이 안 좋다)

창희는 계속 핸드폰을 보고, 사무실엔 떠들고 있는 아름.

컷 튀면, 한쪽에서 핸드폰을 귀에 대고 있는 창희. 신호음만 가고 받

지 않는다. 그만 끊어야 되나 싶어 핸드폰을 내리고 액정을 보는데, 순간 얼른 다시 받고

창희 (울컥) 감사합니다. 전화 받아주셔서. (저만치에서 가만히 듣는 모습) 저, 연기 그렇게 잘 못해요. 가기 싫은 집 들어가면서 해맑게 웃고 떠들고. 그렇게 연기 잘 못해요. 솔직히, 그 다음, 최 여사님 매장이 제일 힘들어요. 이건 소문나도 억울하지 않아요. 사실이니까 억울하지 않아요. 근데 점주님한테 그런 오해 받는 건… 억울해요.

14. 도심 음식점 (낮)

덮밥류의 간단한 밥집. 점심시간이라 바쁘게 돌아가는 가게.
창희는 일이 잘 해결된 듯 활기찬 얼굴로 민규와 들어와 앉고.
앉자마자 한 장짜리 메뉴를 보고. (창가에 나란히 앉는 데였으면)

민규 정 선밴 진짜 언제 한번 욕먹어야 돼. 꼭 사단 날 걸 알면서 말을 옮겨. 사단 나길 바래. 관계 파탄자야.

점원 (와서 물과 잔을 놓고)

창희 다 먹고 싶다. … (보다가) 난 이거 특대.

민규 나도. (점원에게) 이거 특대 둘이요.

점원 (주문을 받아 가고)

창희 (물 따르고 수저 챙기며) 정 선밴 그냥 말이 많아. 말이 너무 많아.

나 죽으면 국민청원 게시판에 꼭 올려줘야 된다. '다말증 환자 얘기 듣다가 스트레스로 죽어…' 어떻게 외근하는 날보다 사무실 출근하는 날이 더 힘들어. 일주일 동안 있었던 얘기를 다~ 들어야 돼. 뭐 먹었는지까지 다! 다말증 환자야. 막 발하고 싶어 미쳐해. 내가 듣기 싫어 미쳐한다는 건 몰라. 그냥 자기만 있어. 정 선배 떠들어댈 땐 변상미 전화가 반갑다. 그 정도야.

민규 (웃고)

창희 일찍 출근하는 날은 똑같은 얘기를 세 번 들어야 돼. 나한테 한 번. 김 대리 오면 한 번. 백 주임 오면 또 한 번. 똑! 같은 얘기를 세 번 들어. (황당하고 돌아버리겠는) / 자기가 한 얘기 기억 못 하면 또 삐진다. '저번에 내가 얘기했었는데. 나한테 관심 없구나?' (너무 황당) 있겠니? / 초등학교 같으면 짝 바꿔달라고나 하지. 옆에 앉아서 하루 종일 떠들어대는데… 미친다. 책상 들고 뛰어내릴 판이야. 나, 이번에 꼭 승진해야 된다. 정 선배 옆자리에서 벗어나는 길은 승진밖에 없어.

음식이 테이블에 놓이자, "감사합니다" 인사.

허겁지겁 먹기 시작하는 두 사람.

민규 너 이번엔 정 선배한테 꼭 한마디 해라.

창희 안 해.

민규 야.

창희 (OL) 나도 알아. 이번 걸로 족치면 정 선배 찍소리 못 하는 거. 근데 왜 안 하냐? 상대하면 끼리끼리거든. 끼리끼리는 과학이거

든. 난 여길 뜰 거거든. 정 선배랑 끼리끼리 안 할 거거든. 그래서 상대 안 하는 거야. (열심히 또 먹고) 나도 좀 나이스하고, 양반 같은 인간들이랑 일하고 싶어. 근데 왜 못 그러냐? 내가, 양반이 아니라는 거지.

민규　(웃으며 먹고)

창희　왜? 끼리끼리는 과학이니까. / 쓰리지만, 내 수준이 여기라는 거. 내가 양반 되면, 정 선배랑 같이 있을래야 있을 수가 없다. 왜? 과학적으로 불가능하거든. 그래서 늘… 양반 되자… 저 인간이 양반 되길 바라지 말고… 내가 양반 되자… (결론) 득도한다 나… (먹으며) 혹시 나도 다말증 환자냐? 나 혼자 떠드는 것 같은데? 나 말 많다 싶으면 꼭 얘기해 줘야 된다.

15. 미정 회사. 사무실 (낮)

(점심 먹고 들어온 듯 테이크아웃 커피가 있고) 지희가 자리에서 주변에 있던 수진과 몇몇 또래들을 부르고.

지희　야야. 이거 봐봐.

수진과 몇몇이 둘러서서 컴퓨터를 보고 풉!
[INS. 회사 홈페이지 동호회 소개란 끄트머리에 있는 해방클럽.]

수진　해방클럽? 뭐야… / 멤버 봐봐.

지희가 클릭해 보는데, 멤버를 확인하고는 헐… 하는 표정.

[INS. 박상민, 조태훈, 염미정 셋만 있다. 괄호 안에 부서 표시.]

지희　헐. 막 만든 것 같은데.

16. 미정 회사. 탕비실 (낮)

미정이 음료를 만드는데, 수진과 지희가 옆에서

수진　해방클럽이 뭐 하는 데야?

미정　(밝게) 해방.

수진　그니까 그게 뭐 하는 거냐고오.

미정　해바앙.

수/지　(헐)

미정　(빙긋) 나도 잘 몰라.

수/지　뭐야아.

지희　면피용으로 막 만든 거 아냐? 행복지원센터 불려 다니기 싫어서?

미정　진짜 하기로 했어.

지희　그니까 뭘 하는 거냐고. 뭘 하는 데일 거 아냐? 모여서 뭐 하는 건데?

미정　…모여서는 아니고. 각자.

지희　각자 뭘 하는 건데?

미정은 수진과 지희를 본다. 진짜 설명해 봐? 하는 표정.

수진과 지희도 설명을 기다리는 듯 진지하게 보고.

미정　뚫고 나갈 거야.

지희　(멍) …어딜?

미정　여기서.

지희　(멍) …어디로?

미정　…… (설명하기 마땅치 않다. 손으로 가리키며) 저기로.

지/수　(진지하게 듣다가 짜증 확) 뭐야아!

미정은 웃으며 자리로 가고.

자리에 앉아 컴퓨터를 보는 미정의 얼굴빛이 밝다.

17.　다세대 주택 앞 (낮)

떼어낸 낡은 싱크대를 용달에 싣는 구씨 위로 지랄지랄하는 노인네 소리. 노인네는 제호의 말은 안 듣고 거의 혼자 퍼붓는 수준.

노인네　30만 원짜리 월세방에 40짜리 씽크대 놓게 생겼냐고, 내가? 월세 받는다고 꽁으로 앉아서 돈 버는 줄 아나. 사람 한 번 들고 나면 벽지하고 청소하고 한두 푼 깨지는 줄 알어?

컷 튀면, 구씨는 운전석에 앉아 있고, 노인네가 계속 퍼붓는 소리가 멀게 들린다.

노인네 흑장미 미용실은 30 줬다는데 나한텐 왜 40이냐고?

제호 그 집은 상부장 없이 하부장만 했고요.

노인네 (OL) 내가 가봤어. 저거랑 똑! 같은 거던데 무슨.

제호 그 집은 위가 없는 거예요.

노인네 (OL) 웃기고 있네. 노인네라고 아주 우습게 보고. 됐고. 그냥 도로 떼 가. 다 떼 가.

노인네는 집으로 들어가 버리고, 제호는 터덜터덜 용달 쪽으로.

18. 달리는 용달차 안 (낮)

구씨가 운전하고 제호는 옆자리에 앉아 있고.

말없이 무거운 분위기의 두 사람.

19. 공장 앞 (낮)

구씨가 주차를 하고 제호가 내리는데 구씨는 안 내리고.

제호 왜?

구씨 잠깐 좀 갔다 올게요.

제호 어딜?

20. 집 앞 (낮)

#무표정하게 용달을 운전해 가는 구씨.

#집 앞에서, 멀어져 가는 용달을 보는 혜숙.

혜숙 (걸어오는 제호에게) 구씨 어디 가는 거예요?

제호 (그저 수돗가로)

21. 다세대 주택 앞 (낮)

노인네가 소란을 일으켰던 집 앞으로 용달이 다시 오고.

구씨가 내려 그 집으로 들어간다.

잠시 후, 쾅쾅쾅 문을 두드리는 소리.

노인네 (E) 누구요?

잠시 후, 문이 벌컥 열리는 소리.

그리고 아무 소리도 들리지 않는다.

적막한 그 집… 그 앞에 서 있는 용달…

22. 동네 일각 (낮)

#퇴근해 오는 미정. 표정이 밝다. 힐끗 돌아보면 저 멀리 용달이 온다. 아무렇지 않게 가던 길을 가나, 설레고 기대되는 면이 있는데.

#돌아오는 용달차 안의 구씨는 굳은 얼굴. 옆 좌석엔 비닐봉지에 담긴 소주병이 있고. 덜컹덜컹 거칠게 운전하는 느낌.

#용달이 미정에게 가까워진다. 미정은 기대하는 얼굴인데, 훅 거칠게 미정의 옆을 지나는 용달. 뭔가 느낌이 안 좋은 미정.

23. 공장 앞 (낮)

용달이 공장 쪽에 주차되는데, 후진하면서 폐자재를 쿵 박고. 뭔가 조심성 없고 거친 느낌. 장독에서 장을 퍼 들고 들어가던 혜숙은 불안한 눈빛으로 그런 용달을 보고. 구씨는 비닐봉지 들고 용달에서 내려 집 쪽으로. 컷 튀면,

24. 집. 마당 (낮)

#혜숙은 구씨가 내미는 돈(1만 원권으로 40만 원을 접어서)을 받는데, 고마우면서도 뭔가 어려운 눈빛…

혜숙　이걸… 어떻게 받아 왔대… 고마워서 이거…

구씨 (바로 돌아서 가자)

혜숙 들어와 밥 먹어요. 다 차려놨는데.

구씨 (그냥 가는)

혜숙 왜 또오. 들어와요!

#구씨와 미정의 간격이 좁혀지는데, 구씨는 미정에게 눈길도 안 주고 찬바람을 일으키며 가고. 미정은 구씨를 힐끗 돌아본다. 왜 또 저래?

25. 집. 주방 (밤)

제호, 기정, 미정은 식탁에서 조용히 먹기만.

혜숙은 주방을 왔다 갔다 하며 영 찜찜한 얼굴로

혜숙 어떻게 했길래… 그 고약한 노인네가 순순히 돈을 줬을까…

기정 원래 꼴통 같은 노인네들이 젊은 남자들 앞에선 끽소리 못 해.

혜숙 아무리 그래도… 어른한테… (제호에게) 그 집에 전화라도 해봐요.

기정 설마 팼겠어? 애써 받아 온 사람 면 떨어지게 전화하고 그러지 마요.

혜숙 그래도 그 노인네 때 되면 딴 데서 안 하고 꼭 우리 집에서 하는데…

기정 싸니까. 막 후려쳐도 암말 안 하니까. 해달라는 대로 다 해주니까!

혜숙 (제호 눈치 보며, 노려보는 눈빛으로 기정의 입을 막고)

제호 … (조용히 먹기만)

미정 … (역시 조용히 먹기만)

26. 동네 일각 (밤)

미정은 음식이 담긴 쟁반을 들고 구씨네로.

27. 구씨네 (밤)

미정이 쟁반을 한쪽에 놓는데, 구씨는 외면하듯이 일어나 주방 쪽으로 가 여기저기 뒤져 빈 그릇을 꺼내놓는다. 테이블을 보면, 벌써 소주 두 병이 다 비워졌고.

미정 고구마줄기 좋아하는 것 같다고… 드시래요.

구씨 (등지고 서서 말을 안 하고)

미정 …왜 이랬다저랬다 해요?

구씨 …

미정 괜찮았다가, 차가웠다가…

구씨 … (쳐다도 안 보고) 똑같던데. 아저씨랑 너랑. 왜 받아야 될 돈인데 본인들이 잘못한 것처럼 주눅 드나 몰라.

미정 …

구씨 (보며) 받아줘?

미정 …

구씨　(그럴 뜻이 없어 보이고. 도로 시선 거두며) 좋게 좋게 해봐라. 돈 나오나.

미정　…한때 알았던 사람하고 끝장 보는 거, 못 하는 사람은 못 해요. 돈 못 받는 것보다, 자기 자신까지 밑바닥으로 내던져 가면서 험한 꼴 보는 게, 더 힘들어요.

구씨　… (뭔지 알겠고. 그러나 답답하고)

구씨는 빈 그릇을 챙겨서 미정의 근처에 놓고는, 도로 자리로 가는데 굴러다니는 술병이 발에 채이고. 자리에 털썩.

구씨　(피식) 미안하다. 술꾼 주제에. 각자 꼴리는 대로 사는 거지 뭐.

미정　…

구씨　나도 개선의 의지가 없고, 너도 개선의 의지가 없고.

미정　!

28. 동네 일각 (밤)

미정이 구씨네서 나와 뚜뚝한 얼굴로 집 쪽으로. 그렇게 가다가 냄비 하나가 떨어져 요란한 소리를 내며 나뒹굴고. 그걸 챙겨 드는데, 구씨가 집에서 나와 역사 편의점 방향으로. 그렇게 등지고 가는 두 사람. 미정은 냄비를 챙겨 가며 뚜뚝한 얼굴로 구씨를 돌아보고는 다시 가고. 묵묵히 걸어가는 구씨의 얼굴 위로 기차가 달리는 소리. 그리고 "내리라고!" 하는 여자의 암팡진 목소리가 들리고

[INS. 졸다가 눈을 번쩍 뜨는 구씨. 지상을 달리는 전철 안. 밖엔 눈이 펑펑 내리고 있다. 이내 멈춰 선 열차에서 휙 내리는 구씨 모습 짧게.]

그리고

[INS. 창희에게, 생각하기 싫은 듯 "잘못 내렸어"라고 말했던]

뚜벅뚜벅 걸음이 빨라지는 구씨.

29. 미정 회사. 사무실 (다음 날, 낮)

표정 없는 얼굴로 모니터를 보며 마우스만 딸깍이는 미정. 그런 미정의 얼굴 위로, 옆자리에서 낮게 떠드는 수진과 지희의 목소리. 서로의 핸드폰으로 수영복을 검색해 가며 말하는 듯.

수진 휴가지에선 이런 걸 입어줘야지.

지희 물에 젖으면 찐해져서 사진 찍으면 이 색깔 안 나온다고. 수영복 색깔은 물에 젖어도 그 색이겠다 싶은 거. 이런 거. 하얀 거 아니면, 블랙.

수진 난 안 어울린다고 이런 거. 이게 낫지.

지희 (답답) 이건 색깔이 이쁜 거지… 어후… (대뜸) 미정이 넌 비키니 무슨 색이야?

미정 ? (느닷없는 질문에 정신을 챙겨오고) …비키니 없는데.

지희 그럼 원피스?

미정 응.

지희 왜 이래, 해방될 여자가. (어쨌든) 무슨 색?

미정 남색.

지희 헐…

지희와 수진은 다시 핸드폰 보며 낮게 얘기. "하얀 걸로 해. 걱정 마. 안 비쳐." 미정은 심드렁하니 모니터를 보고.

30. 기정 회사 근처 (낮)

#점심 먹고 오는 듯, 동료들과 걸어오다가 기정이 샛길로 빠진다.

기정 먼저 들어가.

소영 어디 가세요?

기정 잠깐. (힘없이 터벅터벅)

#기정은 동사무소로 들어가고. 왜 저길 들어가나 싶은데, 두리번거리다가 혈압계가 있는 곳으로 간다. 혈압계에 앉아 팔을 넣고, 지친 듯이 심호흡을 하며 가만히.

31. 기정 회사. 사무실 (낮)

책상 주변으로 누런 봉투들이 가득 쌓여 있고, 책상 위에도 가득. 기정은 서서 마지막으로 확인한 설문지를 봉투에 넣고, 이미 가득 찬 캐

비닛을 열어 거기에 봉투를 넣으려고 하는데, 두서없이 막 밀어 넣는 분위기. 그래서 봉투가 바닥에 떨어지고. 소영이 주워주고 가며

소영　천천히 하세요.

기정은 털썩 자리에 앉고. 산발인 머리를 하나로 질끈 묶고. 후…

기정　힘드니까 더 막 한다. 찬찬히가 안 돼. 어쩜 이렇게 힘들까. (책상 위에 있는 혈압을 측정한 종이 쪼가리 보며) 혈압은 정상인데, 피검사를 해봐야 되나. 어디가 잘못된 걸까. 숨도 가쁘고. 너무 힘들어. (심호흡하는데)

이 팀장　(지나가다가 멈춰서) 브래지어가 짝은 거 아녜요?

기정　…!

이 팀장　옷을 너무 타이트하게 입으시는 것 같던데.

기정　…

이 팀장　몸무게가 늘면 싸이즈를 늘려야 되는데, 의외로 싸이즈는 고수하는 여자들 많아요. 옷 싸이즈 안 늘려 사시죠?

기정　…그냥, 옷을 안 사.

이 팀장　몸무게 얼마나 늘었어요?

기정　…모르지. 안 재봐서.

이 팀장　어머. 어떻게 몸무게를 안 재요? 매일 아침마다 재지 않나? (동료들을 보는)

김 이사　(지나가다가) 나도 잘 안 재. 아침부터 기분 나쁘게 뭐하러 체중계에 올라가. 그냥 남아 있는 날들 중에 오늘이 제일 이쁘고 날

씬하다… 그래. (가고)

이 팀장이 가면 그제야 '저 쌍!' 도끼눈이 되는 기정.

32. 기정 회사. 전화 부스 앞 (낮)

부스 안에서 전화 설문조사 중인 조사원들이 앉아 있는 게 보이고, 그 부스 밖에서 컴퓨터 화면을 보며 회의하는 기정과 진우. 서 있는 기정의 구둣발이 힘들어 보인다(머리는 풀고 있는).

진우 관광 실태 조사는 계속 주말에 하는 걸로 하고, 조사원들 좀 더 푸시해 주세요.

기정 네. 알겠습니다. (자료를 정리하는데)

진우 그리고. (주변을 살피더니 지갑에서 로또를 꺼내고, 작게) 제가 원래 일주일에 열 장씩 사서 뿌리는데, 이번 주 열 장은 몽땅 염 팀장님께.

기정 어머. 이렇게나 많이. 드디어 받아보네요, 이사님의 로또. (씁쓸) 애쓰셨어요. 무의식을 거슬러 가면서.

진우 하하하.

기정 다섯 장만 할게요.

진우 에헤. 제 성읩니다. 그냥 열 장 다 받으세요.

기정 저 이런 거 잘 안 돼요. 다섯 장만. 열 장 다 버리긴 아깝잖아요.

진우 그냥 열 장 받으세요. 그래야 저도 제대로 사과한 것 같죠.

기정 사과하실 게 뭐 있다고. 무의식인데…

진우 에헤.

기정 네. 그만할게요. (로또 챙기며) 고마워요. 1등 맞아서 기절해 보고 싶네요. 이렇게 힘든데 쓰러지지도 않아. 코피도 안 나. 어우 나 졸린 애 말하는 것처럼 제정신 아니다. 죄송해요. 너무 힘들어서. 왜 이러나 몰라요. 생리할 때 돼, 아이, 뭔 말이니. 죄송해요. 정말 제정신 아니네요.

진우 심호흡 한번 해보세요. 천천히… (먼저 해 보이는)

기정 (깊게 숨을 들이마시고 천천히 내쉬는)

진우 한 번 더… 천천히…

기정 (한 번 더 하는데)

진우 힘들 때 잠깐 심호흡하면… 그것도 휴식이라고 좀 괜찮아져요.

기정 (심호흡을 하고 가만히…)

진우 좀 편해지셨죠?

기정 … (잠잠한) 머리 밀고 싶어요. 시원하게 빡빡.

진우 ?

기정 한 번도 머리빨 덕 본 적 없으면서, 무슨 여성성의 상징처럼 놓지 못하고, 매일 아침마다 힘들게 감고 팔 떨어지게 드라이하고… 아무 의미 없는 머리칼에 평생을 시달린 느낌이에요. 그냥 깔끔하게 밀면, 쓸데없는 기대도 없어지고, 세상 가벼울 것 같애요. (진우 보며) 혹시 머리 밀면 짤리나요?

진우 겨울엔 아무나 사랑할 거라면서요? 머리 민 여잘 만날 남자가…

기정 ‥당장은 아니고. 겨울에. 둘 중에 하나는 꼭 하려고요. 힘드니까 머리카락 붙어 있는 것도 짜증나고, 별게 다 거슬려요. 밤이면 팔다리 목 다 분해해서 깨끗하게 기름칠하고 아침에 다시 끼우고 싶어요.

진우　그래서 제가. 쉬지 않고. 사랑하는 겁니다.

기정　?

진우　사랑하는 한, 지칠 수 없거든요.

기정　… (허한 얼굴)

진우　부끄럽네요. 죄송합니다.

33.　달리는 전철 (밤)

기정은 문간에 기대어 서서 차창 밖을 보고 있다. 5~6센티의 낮은 굽이긴 하나 발이 힘들어 보이고. 창밖으로 [오늘 당신에게 좋은 일이 있을 겁니다]라는 글귀가 비치는데, 그런 글귀는 전혀 눈에 들어오지 않고, 오로지 차창에 비친 자신의 몰골만 가만히…

기정　(E) 이뻐지고 싶어…

흔들흔들 달리는 열차… 한 귀퉁이의 기정…

34. 도심 일각 (밤)

유동 인구가 많은 거리.

미정은 누군가를 기다리는 듯 이쪽을 봤다가 저쪽을 봤다가…

그러다 한쪽을 보고 웃는 얼굴이 된다. 현아가 오고 있다.

미정이 그쪽으로 걸어가고.

컷 튀면,

나란히 걷는 두 사람.

둘이 걸어가는데, 현아와 눈이 마주치자 미정이 빙긋이 웃는다.

현아 왜 웃어?

미정 이상한 걸 발견했어. 혼잣말을 하는데 존댓말로 해.

현아 ?

미정 '현아 언니가 왜 늦을까요? 오늘도 푹푹 찌네요. 언제쯤이면 찬 바람이 불까요…'

현아 누구 있네.

미정 ? (보는)

현아 (보는) 누구 있어.

미정 (싱긋) 아닌데.

현아 있는데 뭐. / 뭐 먹을래?

미정 아무거나.

현아 휴가 언제야?

미정 아직 안 정했어.

현아 왜?

미정 갈 데도 없고. 모았다가 왕창 쓸라구.

현아 그래. 나랑 왕창 놀자.

미정 (걸어가다가) 알바는?

현아 그만뒀어.

미정 왜?

현아 짤렸어.

미정 !

현아 손님이랑 싸워서. 앉자마자 욕을 하잖아(씨).

35. 도심 일각 (밤)

포장마차 앞에서 핫도그류를 우걱우걱 먹으며 높은 건물을 올려다보는 미정과 현아. 대화에 감정이 실리지 않고 단순한 사실을 말하는 느낌.

미정 저런 높은 건물에 사는 사람들은 멘탈 장난 아닐 거야? (한 발을 앞으로 드는 시늉) 한 발이면 끝낼 수 있는데. 안 하는 거잖아. (우걱우걱 먹고)

현아 (먹으며 보는)

미정 괴로워서가 아니고, 욱하면, 욱하면 한 발이면 끝나니까.

현아 그래서 내가 여전히 반지하잖아.

미정 반지하가 안전해.

현아는 핫도그에 소스를 더 뿌리고, 미정도 뿌려달라는 듯 내밀고. 그렇게 우걱우걱 먹는 두 사람.

36. 현아 반지하 원룸 (밤)

짐이 가득하고, 침대 아래 좁은 공간에 쪼그려 앉아 맥주 마시는 미정과 현아. 현아는 벌써 많이 취했고, 추운 듯 어깨에 겉옷을 걸치고 마신다.

현아 힘들어도, 집에서 다녀. 나오면 편한 거 잠깐이고 개차반 되는 거 순식간이야. 어우 씨. 추워서 대갈빡 깨지겠네.

미정 꺼.

현아 (일어나) 리모콘을 못 찾겠어서… (천장 쪽에 붙어 있는 에어컨의 버튼을 힘들게 눌러 끄며) 껐다 켰다밖에 못 해. 18도로 맞춰져 있는데.

미정 (주변을 들추며 리모컨 찾는) 대청소 한번 해. 청소하면 다 나와.

현아 (싱크대 앞에 서서 뭔가를 눈으로 찾다가 포기한 듯, 아무 접시를 갖고 와 앉으며) 씨이. 좋은 건 다 그 새끼 집에 갖다놔서 제대로 된 게 없어. 이쁜 옷도 다 거따 갖다놓고.

미정 (접시에 오징어류를 찢어놓으며) 가서 갖고 와.

현아 …어떻게 끝내야 될지, 아직 결정을 못 했어.

미정 …

현아 … (가만)

미정 … (눈치가 보이고)

현아　만나고 헤어지고 수십 번인 것 같은데, 왜 헤어질 때마다 매번 이렇게 바닥일까? 매번 처음 보는 바닥 같애.

미정　…… (애써 대수롭지 않게) 그냥 더 만나든가.

현아　싫어. 그 새끼 사랑은 끝났어. 더 나올 게 없어. (훅 마시고) 난 갈망하다 디질 거야. 사랑을 줘! 나도 줄게! 더 줘. 나도 더 줄게. 선물 따위 필요 없어. 이벤트 따위 필요 없어. 사랑만 줘! 배고파. 더 줘. 더. (숨을 쉬고) 세상 사랑을 다 쓸어 먹어도 안 채워질 거야. … (순간 미정을 똑바로 보고) 넌, 나처럼 갈구하지 마.

미정　! (피식… 시선을 피하고)

현아　너 남자 있지?

미정　! (말도 안 된다는 듯, 어후…)

현아　용감하게 다 줘. 전사처럼 다 줘. 사랑으로 폭!발해 버려!

미정　(픽)

현아　절대, 나처럼 갈구하지 마.

미정　… (미소로 회피하며 마시는)

37. 동네 일각 (밤)

비닐봉지 소리. 그 안에서 병 부딪치는 소리. 슬리퍼 끄는 소리. 소주가 든 비닐봉지를 들고, 어두운 길을 걸어가는 구씨의 등. 그 옆으로 마을버스가 지나간다. 마을버스는 저만치에서 미정을 내려놓고 가고. 구씨 앞에서 마주 오는 미정. 어색한 공기. 구씨가 미정을 외면하듯이 홱 꺾어진다. 집 쪽으로 가는 구씨. 뒤를 따르는 미정. 구씨가 제집으로 들어가면, 미정 역시 눈길도 주지 않고 제집 쪽으로.

38. 규모 있는 편의점 (다음 날, 낮)

창희, 김 대리, 백 주임 등이 유리창을 닦고, 상품 진열을 새로 하고, 바삐 움직이는데, 역시 물품을 정리하던 강 팀장이 통화를 마치며

강 팀장 출발하셨대. 빨리빨리 정리하자. (일을 서두르고)

모두 네에!

점주 (흐뭇하게 보는) 사장님 맨날 오셨으면 좋겠네~ 우리 매장 깨끗해지네~

창희는 바삐 움직이다가 진동으로 핸드폰이 울려서 보면 [변상미 점주]. 눌러서 무음으로 하고 서둘러 일을 하는.

39. 집. 외경 (밤)

40. 집. 주방과 거실 + 창희 방 (밤)

#(거실에서 상 펴놓고) 제호, 혜숙, 기정, 미정 넷이 한마디도 안 하고 먹기만 하는 무거운 분위기. 그런데 밥그릇과 국그릇이 놓인 한 자

리가 비어 있다. 뜨문뜨문 "네… 그럼요… 알죠…" 하는 창희의 목소리만 들리고.

#창희는 방에서 통화 중. 옷도 갈아입지 못한 상황. 수화기 너머로 중년 여자의 하소연하는 소리가 들린다.

#제호는 밥 먹으며 화를 참는 게 느껴지고.

기정 … (그래도 편드는) 그냥 둬요. 일인데.

#방에서의 창희

창희 네. 들어가세요. 힘내시고요. 네.

전화를 끊고 액정을 보는데, 통화자는 [변상미 점주].

창희 (통화 시간 보며, 헐) 1시간 13분.

지친다. 액정에 묻은 땀방울을 슥슥 닦고는 던지듯 핸드폰을 놓고, 한숨을 쉬고는 충전기에 핸드폰을 꽂고 방 밖으로.

#혜숙은 방에서 나오는 창희를 눈으로 조용히 잡고, 창희는 제호의 눈치를 보며 자리에 앉아 열심히 먹고

혜숙 (조용히 넘어갔으면 하는 바람에 제호에게) 더 드릴까?

제호 (말없이 먹고)

혜숙 (끄응)

한마디도 안 하고 조용히 먹는 분위기…
이렇게 잘 넘어가나 보다 싶은데…

제호 너, 몇 살까지 살 거야?

창희는 이건 무슨 황당한 질문인가 싶은데, 혜숙은 끽소리 말고 그냥 먹으라는 식으로 눈을 찡긋 감아 보이고. 창희는 국으로 가만히 다시 밥을 먹는데.

제호 몇 살까지 살 거냐고?

창희 (황당. 억울) 그걸 제가 어떻게 알아요? 제가 몇 살까지 살지… (다시 먹는)

혜숙 (또 사달 났다 싶어 벌써 목이 메는 기분)

제호 니 세대는 100살까진 살아. 앞으로 6,70년은 더 살아야 돼. 어떻게 살 거야?

창희 … (뭐라고 해야 되나 눈을 굴리다가) 잘요. (먹는)

제호 이!

창희 (울겠다) 아니 그렇잖아요. 그렇게밖에 더 세워요? 6,70년을 어떻게 계획을 세워요. 나라도 5년마다 계획하는데. (먹는)

제호 그럼 그 긴 세월을 아무 계획 없이 살 거야?

창희 아니 그 긴 세월을 어떻게 계획을 세워요… 막말로 6,70년이면, 이렇게도 살고 저렇게도 살면 되는 걸, 뭐하러 될지 안 될지 모르는 계획을 세워요. 난 애들한테 꿈이 뭐냐고 묻는 게 제일 싫어. 꿈이 어딨어. 수능 점수에 맞춰 사는 거지. 수능이 320점인데 그걸 가지고 의대를 갈 거야 뭐 할 거야. (먹는)

제호 아무 계획이 없으니까 그러고 사는 거 아냐. 남의 여자 미주알고주알 떠드는 얘기 들어가면서!

창희 (슬프지만 그래도 먹는다)

기/미 (훅 밥상에서 일어나고 / 여전히 앉아 있는데, 마음이 안 좋다)

제호 (창희를 보고 있다가) 왜 남의 여자 떠드는 소릴 듣고 있어? 그게 일이야?

창희 (OL) 사무실엔 더한 여자도 있어요. (방 안 핸드폰 가리키며) 저 분은 귀여운 편에 속해요.

제호 이!

창희 (OL, 얼른 밥그릇에 얼굴 처박고 먹고)

모두 숨을 고르고… 조용…

혜숙 그냥 들어요… (먹어요.)

제호가 다시 수저를 들지만 입맛이 달아났는지 선뜻 수저질을 못 하고,

제호 사내자식이, 아무 계획이 없으니까, 그런 전화 하나 딱딱 못 끊고.

창희 (욱해서) 아부지는 인생을 계획하는 대로 사셨습니까?

제호 !

창희 속 터지는 딸에, 말 징그럽게 안 듣는 아들에, 자식 셋 낳고, 농

사짓고 공장 돌리고, 투잡 뛰면서, 자가용 한 번도 못 몰아보고, 한여름에 에어컨 없는 공장에서 푹푹 쪄가면서! 이렇게 살기로 계획하고 여기까지 오셨냐고요?

제호 !

창희 말씀해 보세요!!

41. 두환 카페 앞 (밤)

창희가 촉촉한 눈으로 담벼락에 기대 앉아 있고, 두환은 한쪽에서 핸드폰 하고 있고.

마음이 좋지 않은 창희.

창희 아씨… 배고파… 괜히 먹다 말아서…

두환 들어가 얼른 먹어.

창희 …같이 가자.

두환 난 먹었어.

창희 …더 못 먹냐?

두환 꼭 사고 치면 나 달구 집에 들어갈라구… 얼른 들어가 임마.

쓸쓸하게 있는 창희. 귀뚜라미 소리만 가득.

42. 집. 안방 + 거실과 주방 (밤)

제호는 맥없이 TV 앞에 있는데 홈쇼핑 채널.
남자 성우의 요란한 더빙 목소리가 기계적으로 (낮게) 들리고. 정신이 딴 데 가 있어 채널을 바꿀 생각을 못 하는 듯. 그런 제호 얼굴 위로, 창희가 들어오는 소리, 솥단지 여는 소리, 냉장고 여는 소리…
창희는 안방을 등지고 식탁에 앉아 먹는데, 연신 안방을 힐끗거린다. 아버지한테 상처 준 것 같아 신경 쓰이는. 결국 방으로 들어가 TV를 스포츠 채널로 바꿔놓고 나오고. 먹다가 또 힐끗 안방을 돌아보는.

43. 몽타주 (낮)

한적한 동네에 억수같이 비가 쏟아지고…
공장 옆의 싱크대 간판도 비를 맞고…
회사가 있는 강남 도심에도 비가 쏟아지고…

44. 미정 회사. 사무실 (낮)

우르르 쾅쾅 소리와 함께 세차게 비 내리는 소리.
천둥이 칠 때마다 여직원들이 모두 창밖을 보며 움찔하는데,
미정은 차분히 창밖을 본다. 톡이 들어온다.

상민　(E) 비가 너무 많이 오네.

45. 미정 회사. 사무실 (낮) + 상민, 태훈 쪽 사무실 (낮)

진동으로 울리는 핸드폰을 확인하는 미정의 얼굴 위로

상민　(E) 오늘 모임 가능할까?

미정은 선불리 대답하지 않고 가만히 보고.

태훈은 짧게 고민하다가 톡을 하는데,

톡을 보는 미정의 모습 위로

태훈　(E) 첫 모임인데 잠깐이라도 하는 게… / 처음부터 파토 내는 건 좀…

상민　(E) (바로) 그지? / 염미정 씨 괜찮나?

미정　(E) 네. 좋아요.

상민　(E, 어렵게) 근데 말야… / 명색이 해방하려는 사람들 모임인데, 모임이 좀 편해야 되지 않나 해서. / 마주 보고 앉는 데 아니면 안 될까?

무슨 뜻인가 싶은 미정. 컷 튀면,

46. 도심 카페 (밤)

셋이 창가에 일렬로 나란히 앉아 있다. 조금은 어정쩡하고 어색한 분위기.

상민 이상하게 마주 앉는 게 불편하더라고. 사람을 정면으로 대하는 게, 뭔가 전투적인 느낌이야. 공백 없이 말을 해야 된다는 것도 그렇고.

미/태 (무슨 느낌인지 알겠고)

상민 혹시, 이렇게 앉는 게 불편한가?

태훈 아뇨. 진짜 편하고 좋네요.

셋 모두 가만히 있다가…

상민 딴거 없어. 해방하려면 퇴사하고 이혼하는 수밖에.

미/태 (피식)

태훈 전 (이미) 그중에 하나는 했는데, 그것도 딱히 해방은 아니더라고요.

상민 (뭔지 감이 오고. 괜히 미안해지고) …그래?

셋 다 말이 없다가…

상민 어딜 가나 속 터지는 인간은 있을 거고, 그 인간들은 절대 변하지 않을 거고, 그럼 내가 바뀌어야 된다는 건데… (울분을 누르

는) 나의 이 분노를 놓고 싶지 않아. 나의 분노는, 너무 정당해

태훈 너무 정당하죠.

상민 너무너무 정당한 이 분노를 매번 꾹 눌러야 되는 게, 고역이야. 일은 드럽게 못하면서 잔소리는 안 듣겠다고 하는 것들이나. '뭐라고 하면 꼰대다. 참자. 참자.' (너무 몰입해 혈압이 오르고 진정하려 심호흡)

태훈 그래도 참으시네요.

상민 근데 티 나.

47. 피부과. 상담실 (밤)

그 시각. 기정은 피부과 상담실에 새초롬하니 앉아 있고 기계적으로 다다다 말하는 여자의 말("침샘 보톡스로 얼굴 윤곽을 부드럽게 잡아주고, 고주파 울세라 400샷 하면 피부가 안에서부터 탱탱해져요. 그리고 꺼진 눈 밑은 연어 주사로 콜라겐 재생하고, 이렇게 하면, 칼 안 대고 15년은 그냥 젊어 보여요.")이 들리고, 기정은 여자가 가리키는 컴퓨터 화면을 보다가도 슬쩍슬쩍 여자를 힐끗거린다. 말하는 여자는 그 여자!
[INS. 1화. "원래 술집에서 그렇게 작게 말해요? 나 처음 보네. 술집에서 이렇게 작게 말하는 사람들." 옆에 있던 태훈도 살짝 보이고]
여자는 그때를 전혀 기억 못 하는 듯 열과 성을 다해 설명하고.

경선 보세요.

컴퓨터 화면에 뜨는, 화장기 하나 없고 무표정한 경선의 비포 사진.

기정은 살짝 허걱 하는데,

경선 심각하죠? 이 상태에서, 좀 전에 말씀드린 세 가지를 하면,

화면 옆으로 애프터 사진 들어오게 하는데, 선명하고 괜찮은 경선의 얼굴.

경선 이목구비는 그대론데 이쪽이 훨씬 생기 있고 젊어 보이죠? 우리 어려서 나이 든 사람 그릴 때, (양 손가락으로 입 옆으로 선) 여기, (눈 아래로 선) 여기만 이렇게 그리면 나이 든 사람이었잖아요. 그 선을 지운 거예요. (화면) 보세요.

기정 (그러는 동안 여자의 이름표를 슬쩍 본다. [조경선])

경선 고객님은 입가는 괜찮고, 여기, 눈 밑만 지우면 훨씬 젊어 보여요. (소근) 얼마 전에 연예인 …(무음에 가까운)도 맞고 갔잖아요.

기정 에… (고민하는 듯, 자기 생각에 빠져 있다가) 저기…

경선 (넘어왔다 싶어서 기대감에 상냥하게 쫑긋) 네.

기정 혹시… 산포여고… 나오지 않으셨어요?

경선 (애매하게 굳는 얼굴) 에… 누구… (얼른 상담 기록지에 적힌 고객 이름을 보고 가만히. 그러다가 뜨악!) 염기정! 어머 너 염기정이니? 어머. (기록지 이름을 보며) 나 염기정은 아는데. (기정 보며) 어머 넌 누구니. 어머.

기정 (흐흐흐) 나 얼마 전에 너 본 것 같은데.

경선 어디서?

기정　강남역 근처 삼겹살집에서.

경선　?

기정　조카 생일이었던 것 같은데.

경선　(아하!) 그때 거기. 봤으면 아는 척을 하지. (화색이 도는) 근데 어떻게 난 줄 바로 알아봤니?

기정　… (흐흐흐)

48. 희선 가게 (밤)

기정은 시퍼렇고 번들번들거리는 눈 밑을 하고는 죄인처럼 고개 숙이고 있고.

경선　너 진짜 싸게 한 거야. 우리도 그 가격에 못 해.

희선(큰언니)이 안주를 내놓으며 앉는데, 한쪽 눈 밑이 기정처럼 시퍼런.
기정은 그런 희선의 눈에 시선이 가고.

희선　산포 친구 데리고 온 거 첨이다?

경선　나도 첨이야. 산포 친구 만난 거. / (기정에게) 우리 산포 살던 얘기 별로 안 해. 우리 삼 남매 인생의 흑역사. 엄마 아버지 돌아가시고 고모네 얹혀살 때.

기정　!

경선 (삼 남매라고 했으니까) 나 남동생 있는 건 알지?

기정 응.

경선 (또 화색) 너 나에 대해서 기억력 디게 좋다. 어떻게 다 기억하니. 남동생 있는 거까지.

기정 흐흐흐. (삼겹살집에서 봤는데…)

경선 (자랑) 얘가 유림이 생일 때 고깃집에서 나 보고 바로 알아봤대잖아. 아는 척을 하지.

희선 산포 몇 단지 사는데?

기정 신도시가 아니고, 당미역 근처예요.

희선 (아!) 거기 저수지 있는 데?

기정 네.

희선 거기 사는구나. 그 근처에 유명한 수제비집 있지 않아?

기정 네. 맞아요.

희선 가끔 고모네랑 거기 갔었는데. 지금도 있니?

기정 네.

희선 언제 한번 가보고 싶다. 가끔 그 수제비 생각나던데.

경선 한창 크는 애들한테 외식이랍시고 수제비 먹이고.

희선 고모 덕분에 우리가 지금 이러고 사는 줄이나 알어. 고모 없었으면 우리가 상속세를 어떻게 알고, 그 큰돈을 어떻게 내야 되는지 어떻게 아니. (기정에게, 위 가리키며) 살던 3층 세주고, 그 돈으로 상속세 내고, 고모랑 같이 살았어. (경선에게) 이 건물 뜯어먹겠다고 달려든 친척이 한둘이었어? 고모가 우리 무지 지키신 거야.

경선 반찬은 그따위로 해주고?

희선　그 집 식구들도 똑같이 먹었어.

경선　밖에 나가서 뭐 먹었어!

희선　(말을 말자 싶고)

경선　내 조카 있어 보니까 알겠디라. 이렇게 끔찍하고 이쁜데, 고모는 우리한테 왜 그랬을까?

희선　어린애랑, 다 큰 것들이랑 같애? 유림이가 중학교 가고 고등학교 가도 지금처럼 이쁠 것 같애?

경선　어! 난 계-속 이쁠 거야.

희선　(말을 말자. 기정에게) 살성이 나랑 비슷한 거 같은데. 그 멍, 쫌 오래가.

경선　술 안 마시면 금방 빠져.

기정　(입으로 가져가던 맥주잔이 애매해지고)

그때 딸랑 문 열리는 소리.

경/희　왔냐? / (일어나 상냥하게 맞는) 왔어?

그쪽을 보면, 태훈이 유림을 앞세우고 들어와 젖은 우산을 털고 있고. 뜨악한 기정. 이를 어쩌지. 희선은 유림의 비를 털어주며 "저녁은? 배 안 고파?" 등의 다정한 말.

경선　인사해. 누나 동창. 산포여고. 얼마 전에 봤다는데? 고깃집에서. 유림이 생일날.

그 말에 유림은 기정을 보고. 기정은 죽을 죄인. 하필 이런 몰골로. 태훈이 먼저 기정에게 목례로 인사. 기정도 어색하게 인사. 유림은 인사도 없이 다다다 튀어 올라가 버리고.

경선 (대수롭지 않게) 이해해. 사춘기야.

기정 …

그때 네댓 명의 손님 무리가 들어오자, 삼 남매는 "어서 오세요" 하며, 희선은 주방으로 얼른 들어가고, 경선은 메뉴판을 들고 손님 테이블로. 태훈은 빈 술병 박스를 밖으로 내놓고 들어오고, 삼 남매가 일사분란하게 움직이는데, 기정은 뻘쭘하게 앉아 태훈을 힐끗거리며 맥주만 홀짝.

49. 집 외경 (밤)

다시 비가 세차게 내리기 시작하고. 산등성이 아래 번쩍이는 번개도 보이고.

50. 자매 방 (밤)

기정은 시퍼런 눈 밑에 붙인 얼음 팩을 떼며 욕하고,
미정은 맥북과 자료를 거실로 들고 나가려고 챙기고

기정 미안한데. 정말 미안한데, 그 남자 재혼은 텄다고 봐야 돼. 조경선, 걔. (이런 말 뭐하지만) 불량했어. 불량소녀 낀 애틋한 삼 남매면, 끝났다고 봐야 되는 거야. 어떤 여자가 거길 끼어드니? 왜 이혼했는지 너무 보여. 그냥 보여. (잠자리로 가며) 결혼 상대론 우리처럼 광화문 대로에서 마주쳐도 아는 척도 안 하고 지나가는 삼 남매가 백번 낫지, 조실부모해서 지들끼리 애틋한 삼 남매? 됐다고 본다.

미정 (챙겨 들고 일어나자)

기정 불 꺼.

미정 (불 끄고 나가고)

기정 너, 그 남자 잘 봐라. 잠수 타나 안 타나. … (혼잣말) 뽀찌는 받아야 돼.

51. 희선 가게 (밤) - 회상

기정이 계산대 쪽에 있는 태훈에게 신용카드를 건네는데 태훈은 극구 사양.

기정 (역시 극구) 아녜요. 제가 사기로 한 거예요.

경선 (치운 그릇 쟁반 들고 주방으로 가며) 그냥 받어. 괜찮아. 눈 밑 싸게 해줬어.

기정 (그니까) 받으세요.

태훈 (카드를 받고) 그럼 술값만 받을게요.

기정 그냥 다 하세요.

태훈 술값만 할게요. 다음에 또 오세요.

기정 …! (왜 이 말이 다정하게 들릴까)

태훈이 카드를 긁는 동안 기정은 지갑 안을 힐끗거리며 고민…
슬쩍 둘러보면 경선은 안 보이고…

태훈 (카드 주며) 여기요. 감사합니다.

기정 저기 이거… (로또 열 장을 내민다) 선물이에요. 그날은… 정말 죄송했어요.

태훈 아우 아녜요. 괜찮습니다.

기정 (계산대 옆에 놓고) 그냥 받으세요. 저도 받은 거고, 저, 이런 거 잘 안 돼요. (싱긋) 되면, 잠수 타세요. 저, 찐짜 붙습니다. (나름의 애교)

52. 자매 방 (밤)

가만히 돌아누운 기정의 등이 뭔가 생각에 잠긴 듯.
[INS. 손님이 들어오자 양복 상의를 벗어놓고, 시원시원하게 움직이던 태훈.]

진우 (E) 염 팀장은, 그 남자의 삶의 태도가 제일 중요해요. 중심을 보는 거죠.

돌아누운 기정의 등이 가만히 있다가 슬쩍 움직이고.

기정 미친년. 조경선 남동생이다. 애 딸린 홀아비다.

그렇게 다독이고 가만히 있는 등짝.
또 [INS. 태훈: 다음에 또 오세요.]
가만히 있다가 벌떡 일어나 불같이

기정 미, 친, 년. 술집 주인이 다음에 또 오라고 그러지, 그럼 뭐라고 그러냐? (그렇게 자신을 족치고는 다시 홱 눕는)

53. 집. 거실과 주방 (밤)

장식장에서 담금주를 몰래 꺼내던 미정은 방을 보며 정지 자세. 미친…
술을 머그컵에 반쯤 따르고, 도로 넣어두고.
어두운 거실에서 소리 나지 않게 움직인다.
식탁에 앉아 한 모금 마시고… 가만히 있다가 밖을 본다.
구씨네를 보는데, 구씨가 잘 안 보인다. 흐릿하다. 비도 오지만… 혹시나 싶어 눈앞에 켜진 맥북을 슬쩍 옆으로 돌려놓고 다시 보는데… 이제 좀 선명하게 보인다.
구씨가 제집 앞에(차양 밑에) 앉아 있다.
내리는 비를 보며 가만히 앉아 있는 구씨.

정지해 있는 것처럼 아무 움직임이 없다.
멀리 있는 산 위로 실오라기 같은 빛이 보였다가 사라졌다가… 번개 치는 듯.
천둥소리도 멀게 들리고.
그러다가 따라락 천둥소리가 갑자기 크게 들리고. 번쩍이는 번갯불.
미정은 구씨를 보는데, 미동도 안 한다. 자세와 표정에 변화가 없다.
그런 구씨를 가만히 보는 미정.

상민 (E) 염미정 씨는 왜 해방클럽을 생각했어?

[INS. 사무실. 천둥 번개 치던 낮.
요란한 천둥 번개에 기겁을 하는 여직원들.
그에 반해 차분히 번쩍이는 창밖을 보는 미정의 모습 위로.]

미정 (E) 사람들은 천둥 번개가 치면 무서워하는데… 전, 이상하게 차분해져요. / 드디어 세상이 끝나는구나. / 바라던 바다.

현재. 자신과 같은 생각인 듯한 표정으로 벼락을 보는 구씨.
그런 구씨를 보는 미정.

미정 (E) 갇힌 것 같은데, 어딜 어떻게 뚫어야 될지 모르겠어서, 그냥 다 같이 끝나길 바라는 것 같애요. '불행하진 않지만, 행복하지도 않다. 이대로 끝나도 상관없다.'

[INS. 도심에서 현아를 기다리는 동안 웃으며 가는 커플들을 덤덤히 보는 미정.]

미정 (E) 다 무덤으로 가는 길인데, 뭐 그렇게 신나고 좋을까.

다시 현재. 요란한 벼락 소리에도 차분한 구씨의 얼굴.

미정 (E) 어쩔 땐, 아무렇지 않게 잘 사는 사람들보다, 망가진 사람들이 훨씬 더 정직한 사람들 아닐까… 그래요.

그때 구씨의 맞은편에 있던 전봇대에 하얀 빛줄기가 떨어지고. 따라락 펑!
전봇대가 하얗게 폭발하며 터졌다. 헉! 놀라는 미정.
집 안의 모든 전자기기가 띠리릭 일시에 꺼지는 소리.
창밖으로 점점이 있던 가로등이며 모든 불빛도 사라지고 암흑.
순간 밖으로 뛰쳐나가는 미정.

54. 동네 일각 (밤)

세찬 빗속을 헉헉대며 급히 간다.
그렇게 달려가다 보면, 갑자기 눈앞에 앉아 있는 구씨가 나타나고.
한 치 앞도 보이지 않아 여기까지 바짝 온 것.
구씨는 지금 자기가 뭘 보고 있는 건가 싶은 표정.

전봇대에서 끊어진 전선이 불꽃을 내며 꿈틀꿈틀 요동치고. 불꽃이 떨어지고…

미정　(집을 가리키며) 들어가욧!

구씨　!

미정　얼른 들어가요!

그래도 멍하니 있자, 미정은 우악스럽게 구씨의 어깨 자락을 잡아끈다.

미정　들어가라고요!!

55.　구씨네 (밤)

미정은 구씨를 끌고 와 거실에 확 밀어 넣고.

어둠 속에서 정지해 있는 두 명의 형체.

번쩍이는 번갯불에 언뜻언뜻 보이는 서로의 표정.

미정은 말 안 듣는 개를 보듯 씩씩대며 구씨를 보고.

구씨는 술기운에도 황당한 듯 그런 미정을 보고.

미정은 구씨를 보다가 홱 나가며, 문을 쾅 닫고!

황당한 구씨의 얼굴.

56. 동네 일각 (밤)

뚜벅뚜벅 집 쪽으로 가는 미정.

집 쪽에서 플래시 불빛이 움직이는 게 보인다.

미정 (E) 어디에 갇힌 건진 모르겠지만, 뚫고 나가고 싶어요. 진짜로 행복해서, 진짜로 좋았으면 좋겠어요. 그래서, 아, 이게 인생이지… 이게 사는 거지… 그런 말을 해보고 싶어요.

집 안에서 누군가 미정의 오는 길을 비춰주는 듯, 집에 가까워지면서 미정의 얼굴에 빛이 밝아지는 데서.

57. 동네 외경 (낮)

언제 비가 내렸냐는 듯이 해가 쨍쨍하고 매미가 시끄럽고.

58. 공장 앞 (낮)

혜숙은 공장 문가에 서서 구씨네를 보고 있다. 그러다가 공장 안쪽을 돌아보며

혜숙 한번 가봐요.

제호 … (묵묵히 일만) 둬 그냥. 쉬게.

혜숙 한번 가봐요, 또 어디 다쳐서 꼼짝 못 하고 있는 거 아닌가.

제호 (일만)

혜숙 예?

제호 (결국 일하던 걸 놓고)

59. 구씨네 (낮)

테이블에는 빈 소주병들이 보이고. 소파에 앉아서 고개를 떨구고 있는 구씨. 자괴감과 숙취로 고개를 떨구고 가만히 있는데… 순간 이상하다 싶다. 한쪽 발등이 팥죽색이다. 발을 꼬물꼬물 움직여 보는데 뭔가 이상하고. 뭐가 묻었다. 만져보는데, 검은 찌꺼기들이 바스라지고. 그런데 그 찌꺼기들의 이동 경로가 보인다. 눈으로 따라가 보면 주방. 주방 바닥엔 물과 커피 찌꺼기가 흥건하고 커피포트와 컵이 나자빠져 있다. 커피를 내리다가 들러 엎은 듯. 경멸스럽다는 듯 시선을 돌리고. 자신에 대한 분노로 창창한 눈빛으로 가만.

60. 약국 앞 (낮)

용달이 한쪽에 정차해 있고, 제호가 약국 앞에 서 있다. 잠시 후, 한쪽 발에 거즈를 감은 구씨가 약국에서 약봉지를 들고 나온다. 제호가 용달 쪽으로 앞서가고, 구씨가 따라가는데,

제호　(운전석 문 앞에서 머뭇) 시원하게 맥주 한잔할래?

61. 호프집 (낮)

시골 역전에 있을 법한 허름한 호프집. 500밀리 잔은 반쯤 비워졌고, TV를 봤다가 창밖을 봤다가 하는 제호와 구씨. 창밖엔 괴성을 지르고 껑충 튀어 오르며 가는 교복 입은 남학생들, 폐지 리어카를 몰고 가는 할아버지, 빠르게 지나가는 사람들… 그런 풍경을 보는 제호가 왠지 쓸쓸해 보이고. 그런 풍경을 보는 구씨는 뭔가 편안하고 잠잠해지는 분위기.

62. 밭 (다음 날, 낮)

매미 소리. 시원하게 너른 밭.

(기정만 빼고) 식구들 모두 밭일을 하고 있다.

창희는 땀이 눈에 들어가 따가운지 연신 눈을 깜빡이며 닦아내고.

혜숙은 쪼그려 앉지 못해 허리 숙여 일하다가 허리를 펴며 에고고.

창희　그러다 허리까지 나가요. 서서 하는 것만 해요.

혜숙　밭일에 서서 하는 게 어딨다고… (다시 허리 숙여 일)

창희는 제호의 눈치를 보게 되고. 부러 제호 옆에서 일을 거들고.

제호는 통명스럽게 제 할 일만. 그런데 제호가 한쪽을 보고 멈칫.

창희도 따라서 그쪽을 보면, 구씨가 오고 있다.

미정도 뒤늦게 구씨를 보고.

제호　그냥 쉬지. 발도 성치 않은데…

구씨는 말없이 일을 거들고. 결국 다 같이 일하는 분위기.

컷 튀면,

차가운 음료를 마시며 잠시 쉬는 시간. 각처에서 다들 조용히 휴식을 취하고. 땀으로 젖은 머리칼과 얼굴들. 그때 바람이 분다. 시원하다. 모두 제자리에서 차분히 바람을 만끽하는데, 그때 미정의 모자가 바람에 날려 벗겨지고. 어?

땅을 구르는가 싶더니 어느새 훅 날아오른다.

모두가 날아가는 모자를 보는데, 한참을 날다가 개울 저편에 떨어진다.

넓이와 깊이가 꽤 되는 하천(개울). 근처에 다리는 안 보이고

창희　저-기 다리로 갔다 와야지 뭐.

혜숙　(반대 방향을 가리키며) 저쪽이 빠르지.

창희　저쪽이 빠르죠.

혜숙　에으 눈대중도 없는 놈. 저쪽이 빠르지!

미정　(서서 이쪽을 봤다가 저쪽을 봤다가 하는데)

구씨　(불편한 발을 운동화에 꾸역꾸역 집어넣고, 끈을 조이며) 있어.

본인이 갖고 오겠다는 말? 웬일이래? 싶은 식구들의 시선.

신기하게 구씨를 보다가 창희가 일어나며…

창희　제가 갖고 올게요.

상관없이 구씨가 벌떡 일어나 가는데, 개울을 등지고 전혀 다른 방향으로 간다.

창희　(한참 보다가 미정에게, 구씨) 어디 가?

미정　(나도 몰라. 그저 구씨를 보기만)

창희　(구씨를 보다가, 모자가 떨어진 방향을 가리키며) 저~기 있는데.

그래도 계속 가는 구씨.

그렇게 개울을 등지고 걸어가는 구씨의 얼굴에서

창희　(E) 이 동네 어떻게 오게 됐어요?

[INS. "내리라고!" 하는 여자의 목소리와 함께, 당미역 역사 간판에 눈발이 날리고. 눈을 맞으며 구씨가 한곳을 보고 있다. 멀찍이 떨어져서 있는 미정의 옆얼굴. 둘 다 역사에서 나와 서 있는 듯.]

[INS. 눈 내리는 그 겨울밤. 공중전화 부스에 있는 구씨의 뒷모습 위로]

현진　(F) 너 그대로 쭉 갔으면 뭔 일 당했다. 어떻게 알고 피했냐?

여전히 개울을 등지고 걸어가는 구씨 얼굴에서,

[INS. 미정: 그러니까 날 추앙해요. 그래서 봄이 되면, 당신도 나도, 다른 사람이 돼 있을 거예요.]

한참을 가던 구씨는 멈추고. 결심한 듯, 개울을 향해 돌아선다.

구부정했던 상체를 곧추세우고, 숨을 고르고, 가볍게 제자리에서 한 번 튀어 오르더니, 개울을 향해 내달리기 시작.

설마… 하는 식구들의 표정.

구씨가 점점 속도를 내며 개울에 가까워지자 눈이 커지면서, 어어어….

순간 후욱 날아오른다. 가슴팍을 내밀며 허공에서 발길질.

저게 사람이 할 수 있는 동작인가… 기이하게 보는 식구들.

무사히 건너가 착지하면, 식구들은 다들 놀라 부동자세.

그렇게 구씨가 건너가고 걸어가 모자를 줍는 동안,

다음 회차에서 나눌 법한 두 사람의 대화가 흐른다.

구씨 (E) 확실해? 봄이 오면, 너도 나도, 다른 사람이 돼 있는 거.

미정 (E) 확실해.

모자를 주워 들고, 다시 이쪽으로 건너오기 위해 개울을 등지고 걸어가는 동안,

구씨 (E) 추앙은 어떻게 하는 건데?

미정 (E) 응원하는 거. 넌 뭐든 할 수 있다, 뭐든 된다, 응원하는 거.

다시 내달리기 위해 정면으로 돌아서는 구씨

그렇게 하기로 결심한 듯, 심호흡, 그리고 달리기 시작한다.

점점 속도가 붙고 전속력으로 달려 점프.

그렇게 허공을 나는 구씨의 모습에서.

배우 인터뷰

"「나의 해방일지」는 저를 사람으로서, 배우로서 한 단계 성장시켜 준 작품입니다."

이엘

(염기정 역)

솔직한 기정에게 열광한 시청자들이 많았습니다. 배우님에게 기정이가 가장 사랑스러웠던 순간은 언제였나요?

매 순간이었던 것 같아요. 울고 웃고 바쁘게 사랑하며 가장 치열하게 살아가는 기정이가 너무 사랑스러웠어요. 귀여웠다가 짜증스러웠다가 설렜다가 실망하는 모습도요.

코믹한 상황도 많았습니다. 그 전까지 센 캐릭터들을 연기한 이엘 배우의 또 다른 모습을 볼 수 있었고, 그게 또 이질감 없이 자연스럽게 받아들여졌어요.

그동안 멋진 척하는 연기를 많이 해와서 멋을 빼는데 가장 큰 노력을 기울였습니다. 저도 기정이처럼 소란스러운 사람이에요. 할 말도 많고 하고 싶은 것도 많고 덤벙거려서 사건 사고도 잦고요! 저의 가장 자연스러운 모습을 보여주려고 했어요.

기정이는 감정에 솔직하고 순수한 사람 같아요. 가끔 감정 조절이 안 되기도 하고요. 옷차림과 헤어스타일에도 그런 성격이 잘 드러납니다. 눈에 띄는 색이나 무늬가 들어간 옷을 즐겨 입어요. 감정이 겉으로 잘 드러나지 않는 미정의 무채색 옷차림과는 대조적이죠.

"예뻐지고 싶어"라는 염기정의 대사 한 줄에서 시작했어요. 미용실도 쇼핑몰도 열심히 다니는 사람이면 어떨까 하고요. 기정이의 감정 기복처럼요(웃음).

기정의 대사 중에 공감 가는 대사가 유독 많았습니다. 이를테면 "쉬는 말이 하고 싶어.", "불.쾌 아녜요? 유.쾌가 아니고?" 같은 대사요. 내뱉으면서도 속 시원하게 느껴지는 순간들이 있었을 것 같은데요.

저도 딱 그 대사를 좋아합니다. 애정을 줄 땐 밀당 없이 충만하게 가득 줘야 좋지 않느냐는 기정이의 말이 너무 좋아요! 우리 모두 사랑은 듬뿍듬뿍!

가장 좋아하는 장면을 꼽아주세요.

가족과 둘러앉아 밥 먹는 장면을 가장 좋아합니다.

배우님이 해방감을 느낄 때는 언제인가요?

고요히 자연 속에 있을 때 해방감을 느껴요.

「나의 해방일지」는 배우님께 어떤 의미로 남았나요?

저를 사람으로서, 배우로서 한 단계 성장시켜 준 작품입니다.

「나의 해방일지」를 사랑해 주신 여러분, 감사합니다. 염가네 삼 남매는 지금도 어디서 씩씩하게 잘 살아가고 있을 거예요. 기정이는 아마 태훈 씨에게 툴툴거리고 있겠죠. 이 여운을 가슴에 간직하고 힘차게 살아보아요. 사랑… 아니 애정합니다.

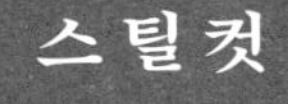
스틸컷

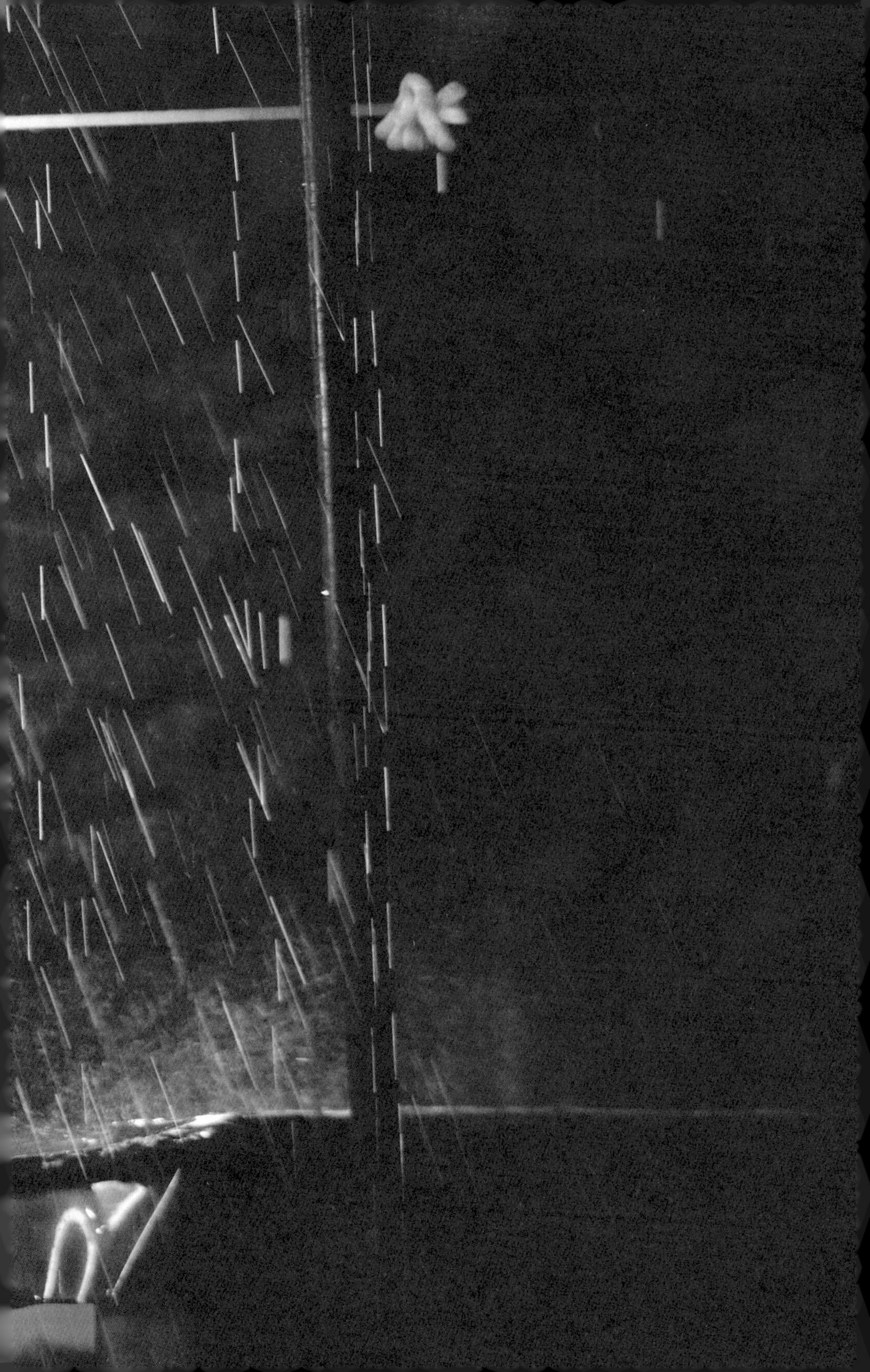

나의 해방일지

1

초판 1쇄 발행 2023년 1월 27일
초판 7쇄 발행 2024년 9월 30일

지은이 박해영
펴낸이 김선식

부사장 김은영
콘텐츠사업본부장 임보윤
책임편집 박하빈
콘텐츠사업2팀장 김보람
콘텐츠사업2팀 박하빈, 이상화, 채윤지, 윤신혜
편집관리팀 조세현, 김호주, 백설희
저작권팀 이슬, 윤제희
마케팅본부장 권장규
마케팅2팀 이고은, 배한진, 양지환
미디어홍보본부장 정명찬
브랜드관리팀 오수미, 김은지, 이소영, 서가을
지식교양팀 이수인, 염아라, 석찬미, 김혜원, 박장미, 박주현
뉴미디어팀 김민정, 이지은, 홍수경, 변승주
재무관리팀 하미선, 윤이경, 김재경, 임혜정, 이슬기, 김주영, 오지수
인사총무팀 강미숙, 지석배, 김혜진, 황종원
제작관리팀 이소현, 김소영, 김진경, 최완규, 이지우, 박예찬
물류관리팀 김형기, 김선민, 주정훈, 김선진, 한유현, 전태연, 양문현, 이민운
외부스태프 김은하(교정교열)

펴낸곳 다산북스
출판등록 2005년 12월 23일 제313-2005-00277호
주소 경기도 파주시 회동길 490
대표전화 02-704-1724 팩스 02-703-2219
이메일 dasanbooks@dasanbooks.com
홈페이지 www.dasanbooks.com
블로그 blog.naver.com/dasan_books
종이 아이피피 인쇄 북토리
코팅 · 후가공 제이오엘엔피 제본 국일문화사
ISBN 979-11-306-9617-1 04810
979-11-306-9606-5 (세트)